창작 시집

인연

박광열 지음

프롤로그

 코끝을 찡하게 스쳐오는 겨우내 찬바람과 함박눈의 미소, 얼음장 밑을 졸졸졸 흐르는 개울물의 속삭임과 함께 처마끝 고드름이 열리는 소담한 하늘 뜰아래에서 '인연'을 함께 하게 되어 행복합니다.

연일 날씨가 일교차가 심하고 감기환자도 많이 늘어나고 있는 이때 독자님들의 건행과 가정에 기쁨과 축복을 기원합니다.
경기도 많이 위축되어 사람들의 마음과 정서가 메말라가고 있는 시점에서 꿈과 희망과 풍요를 담은 시집 '인연'을 출간하게 되어 정말 기쁩니다.

인연과 함께 수많은 사람들을 만나면서 기쁜일, 슬픈일, 안타깝고 가슴 아팠던 기억, 그립고 아쉽고 아련했던 일들을 함께해 오면서 여러분께 많은 지혜를 배우기도 했구요, 꽃님과 햇님과 같은 독자님들과 함께 저의 미력한 글솜씨를 통하여 난처하고 힘에 부친 많은 이들과 함께 행복과 꿈의 나래를 펼쳐나가고자 합니다.

우리는 무한한 힘과 능력과 지혜의 어머니이자 우주의 일원으로써 좋은 인연을 갈고 닦고 쌓아 좋은 결실을 맞이하게 됨을 알고 있습니다.

이 시집과 함께 모두가 내안의 잠재력을 들춰내어 기쁨과 행복의 파랑새를 찾아 저 편 너머 행복의 나래를 향해 문을 두드려보지 않으시겠습니까?

두드리면 열릴 것이고 구하면 반드시 얻을 것입니다.

믿음은 보이지 않는것의 증거로써 우리의 믿음으로 우리는 꿈을 이루고 도전과 성취를 만들어 나갑니다.

용기와 희망 잃지 마세요. 언제나 응원합니다. 저자 드림

인연

박광열

끝없는 우주 속에서 우리는
우연히 만난 작은 별빛 같은 존재

인생의 무수한 길목에서
우리의 길이 교차되었을 때

마주치는 순간, 두 마음이
서로를 알아가는 마법이 시작됐다

흐르는 세월에 묻히지 않는
영원한 연인의 우정, 그것이 '인연'

함께 웃고, 함께 울며
인생의 풍경을 함께 만들어가는

어떤 어려움도 이기지 못할 만큼
튼튼한 인연의 결실, 그 무게를 안다

인연의 실은 시간을 뛰어넘어
우리의 마음을 영원히 연결한다

사랑과 이해, 신뢰와 정, 모두가
한 마음으로 얽여진 그 순간

인연의 미소, 그 아름다움은
세상의 모든 빛을 따라잡을 만하다

우리의 인연은 바람에 흔들리지 않고
비밀스럽게 우리 마음을 감싸 안는다

그 인연의 향기로 가득한 이 순간에
감사함을 담아 이 작은 시를 쓴다

목 차

6

파랑새를 찾아서

파랑새를 찾아서 높은 하늘로
그 자유로움에 눈이 멀었어
날개를 펴고 나는 날아갔지
푸른 하늘을 향해 흘러가는 바람과 함께

구름 위에 살짝 펄럭이며
하늘의 비밀을 품고
언제나 자유롭게 떠도는 파랑새처럼
하늘의 나비가 되고 싶었어

파랑새를 찾아서 내가 보낸 시간은
잊을 수 없는 기억으로 남아
파란 하늘과 함께 떠올리는 모든 순간들은
내 삶에 영원한 아름다움으로 간직돼

하지만 파랑새를 찾아 떠난 날들에도
가끔은 그리움이 내게 다가와
하늘을 향해 손을 뻗고 느낀다면
파랑새의 날개짓과 함께 희망을 찾을 수 있을거야

파랑새를 찾아서 나는 행복했지
그 아름다운 순간들은 영원히
하늘을 향한 나의 꿈과 자유로운 날개로
파랑새처럼 더 멀리 날아갈거야

파랑새를 찾아서 높은 하늘로
자유롭게 날아가고 싶은 마음이여

꿈을 품고 펼쳐진 넓은 세상을
파란 하늘과 함께 나누고 싶은 마음이여

바람에 날개를 펴고 푸른 구름을 따라
저 멀리 향하는 파랑새의 모습을 떠올려봐

그 자유로움에 희망을 담아
하늘을 향해 날아가고 싶은 마음이여

언제나 영원한 하늘과 바다가 함께한 곳에서
평화롭게 날아가는 파랑새처럼 자유로운 삶을 꿈꿔봐

파랑새를 찾아서 그 속에 담긴 아름다움을
마음 깊이 간직하고 삶의 여정을 떠나봐

푸른 하늘 아래 넓게 펼쳐진 세상에
파랑새처럼 행복한 날들을 만들어봐

파랑새를 찾아서, 우리의 꿈을 이루어가며
세상에 나만의 아름다운 날개를 펼쳐봐

들국화

들국화 꽃이 피는 길을 걸어가며
작은 꿈과 소망이 스며드는 이곳에서
아련한 향기와 함께 물들여진 색깔로
들국화의 순수함이 녹아든다.

얼어붙은 겨울의 추위를 뚫고
첫 햇살에 깨어나는 봄처럼
들국화는 우리에게 소중한 가르침을 전한다.
견고함과 아름다움이 공존하는 비결을

들국화야, 너는 작고 조용한 존재이지만
마음을 따뜻하게 녹여주는 전령이로다.

길가에 핀 너의 아름다움에 감탄하며
나도 함께 피어날 수 있는 들국화가 되고 싶다.

들국화 꽃들은 바람과 춤을 추며 흔들리며
우아하게 피어나는 그 모습은 환상의 풍경
들국화야, 너는 자연의 예술가로서
우리의 눈과 마음을 사로 잡는다.

얼마나 많은 사람들이 너를 바라보며
아름다움에 감동하고 위로받을까
들국화야, 너의 존재는 작지만 크다.
그 미소 하나로도 세상을 밝게 비춘다.

길가에 핀 너의 꽃들을 보며 나는
영감을 받아 노래를 지어본다.
들국화의 순수한 아름다움을 담아
세상에 피어날 수 있는 꿈을 품어보려 한다.

들국화야, 너의 꽃잎처럼 얇고 부드러운
내 마음도 향기로 가득한 들국화가 되기를
길을 걷다가 마주치는 너의 아름다움이
언제나 우리의 마음에 향기가득 간직되길 바란다.

석양노을

붉게 타오르는 저녁 석양을 바라보며,
노을에 물든 세상이 어여쁘게 펼쳐지는 풍경을 감상하며,
심장은 고동치며 그 순간을 여운 깊게 간직하려 해요.

저녁 노을이 물들어 가는 그 때,
세상은 마치 황금빛으로 물들어 가듯 하네요.
시간이 멈춘 듯 저 멀리 저녁 태양은 사라지고,
빛이 서서히 바닥으로 흘러 내리면서
하늘과 대지를 만나는 순간,
내 마음은 자유롭게 퍼져 나가고 있네요.

저녁 석양이 닿는 곳에서,
무거운 고요가 전해지는 듯 하네요.
여기 이 곳에서만큼은 모든 근심과 걱정이 사라지고,
시간이 정지한 듯 소박한 평온함이 내 맘을 감싸네요.

이 순간을 담아 언어로 풀어보려고 해도,
말로는 표현하기 어려운 아름다움이에요.
그래서 손을 펴 저 석양을 따라가보려 해요.
꿈같은 그 풍경을 지켜보며,
심장이 고동치는 광경을 느껴보려 해요.

붉게 물든 석양이 다가올 때,
내 마음이 달아오르고
이 세상의 경이로움에 심취하게 돼요.
잠시나마 장엄한 순간을 간직하고,
저 석양이 가라앉을 때까지 멈추지 않을 거예요.

저 멀리 펼쳐진 풍경을 바라보며,
심장이 고동치는 그 순간을 영원히 간직할게요.
붉게 타오르는 석양과 노을,
이 순간을 담아서 내 안에 품어요.
여기 이 순간을 담아 난 영원의 고동을 지어보려 해요.

안드로메다의 꿈

안드로메다, 우주의 어둠을 밝히는 빛

무한한 신비로움에 눈을 돌리고

하늘을 바라보며 내 안에 잠든 꿈을 꿈꾸리라.

얼마나 먼 곳인가, 그 어떤 나라와도 다른

섬세한 점들로 뒤덮힌 우주의 수수께끼

별들의 춤이 내게 그 비밀을 전하듯

수억 개의 세계들이 펼쳐진 무대 위에

저 하늘에 흩날리는 깃털처럼 나도 날아가고 싶다.

알 수 없는 신비가 깃들어 있는 이 공간에

유성들이 지나가는 섬세한 밤

꿈틀거리는 미지의 음악이 내 귓가에 울려퍼져

어둠 속에 빛나는 안드로메다의 눈동자

나는 이곳에서 새로운 세계를 만난다.

모든 것이 새로워져 있는 그곳에서

우주의 비밀을 품은 안드로메다

하늘과 땅, 시간의 벽을 넘어

그 어떤 불가사의한 춤을 추며

나는 나 자신과 만난다.

안드로메다의 꿈이야말로

나를 더 크고 높은 곳으로 이끌리게 하고

무한한 가능성을 안겨다 준다.

감탄하며 눈을 감고

난 안드로메다의 꿈을 꾼다.

기찻길옆 나비

황금빛 햇살 비추는 기찻길 옆,

꿈꾸던 순간을 담은 향기로운 꽃들이 피어나네.

색다른 아름다움으로 눈을 사로잡는 나비는,

작은 세계 속에서 희망의 메아리를 전하네.

나비들은 자유롭게 춤을 추며 날아올라,

꽃잎 사이로 흐르는 바람과 함께 흩날리네.

한 순간의 아름다움에 우리의 마음을 빼앗아가며,

우리에게 자유와 아름다운 춤을 상기시키네.

한 손으로 꽃들의 향기를 맡으며,

다른 한 손으로 나비의 자유를 감상하며,

우리는 시간의 흐름을 잊고서 멈춰있네.

끝없는 아름다움에 빠져들어 가슴 속에 새로운 꿈을 심네.

기찻길 옆 꽃들과 나비들이 우리에게 전하는 메시지,

바로 삶은 아름다움과 자유로움이라는 것을 알리네.

작은 순간의 아름다움을 즐기며,

자유롭게 날아다니며 행복을 찾아가길 바라네.

무지개 빛으로 물들어 더욱 아름다워진 꽃들은,

다채롭게 피어나며 우리에게 꿈을 선사해.

나비들은 여전히 자유로운 날갯짓을 더해가며,

순환하는 세계의 아름다움을 노래하네.

사랑과 희망이 꽃잎에 가득 담겨있고,

나비들의 날갯짓은 자유와 꿈을 상징해.

기찻길 옆에서 시간을 초월한 이야기로,

끝없는 아름다움의 전령이 되어 날아가네.

우리는 꽃들의 향기에 마음을 담아가며,

나비의 날갯짓에 마음을 실어나가네.

아름다운 순간의 틈새로 행복을 발견하며,

자유로운 날개짓으로 미래를 향해 나아가네.

기찻길 옆 꽃들과 나비들의 춤은,

우리에게 기대와 희망을 전하며 더불어 가네.

아름다움과 자유로움을 간직하며,

우리의 삶에 새로운 꿈을 피어나게 하네.

저녁빛이 서서히 내리쬐는 기찻길 옆,

어둠이 밀려와도 꽃들은 더욱 빛나네.

달빛 아래서 희망의 노래를 부르며,

나비들은 꿈을 따라 새로운 세계를 향해 날아가네.

꽃들은 변화하는 계절을 함께 노래하며,

잠든 자연 속에서도 아름다움을 전파해.

나비들은 어둠을 헤치고 빛의 향기를 따라,

새로운 도약과 자유의 날개를 펼치네.

우리는 기찻길 옆 꽃들과 나비들을 바라보며,

인생의 변화와 순환을 깨닫게 되네.

어떤 시련이 닥쳐도 희망을 잃지 말고,

빛나는 꿈을 향해 달려가는 용기를 가지네.

꽃들과 나비들의 이야기는 영원한 축복이 되어,

우리의 삶에 아름다움을 계속해서 부여해.

기찻길 옆의 순간들은 흘러가지만,

꽃들과 나비들의 향기는 우리 마음 속에 남아있네.

계절이 변해도 꽃들은 피어나고,

시간이 흐르더라도 나비들은 날아갈 것이야.

기찻길 옆의 아름다운 이야기는 우리의 삶을 빛내며,

꿈과 희망을 안고 앞으로 나아가는 길이 되네.

커가는 나무

어두운 새벽 속 깊은 숲 속에

겨울의 얼어붙은 나무가 잠들었네

온몸에 대는 바람에 힘겨워하며

겨우내 움츠려 숨죽여 살아갔네

그러나 봄이 찾아왔을 때면

긴 겨울의 꿈을 잊고 일어나네

나뭇가지 위에 새로운 희망의 씨앗을 간직하고

마음 속에 자라나는 꿈을 품고

작고 작던 새싹이 어느새 성장하며

숨 막히게 환히 빛나는 잎들을 피워가네

하늘 위로 향해 자유롭게 펼쳐지는 가지들이

생명의 기쁨을 노래하며 피어나네

가늘고 허약했던 나뭇가지들이

차츰이 강해져 더 크게 자라나네

커가는 나무는 생명의 기적을 보여주며

자연의 섭리와 아름다움을 드러내네

그 나무의 성장은 우리 인생과도 닮았어

가끔은 어두운 고난의 시기를 겪으며

힘겨움에 휩싸이고 좌절할 때도 있지만

새로운 희망과 꿈을 간직하고

작은 변화부터 시작해 성장해 나가면

어느새 큰 변화와 성취를 만들어가네

우리도 커가는 나무처럼 강인하게 자라나며

아름다운 삶을 피어나게 할 수 있어

그러니 어둠을 두려워하지 말고

힘든 시간에도 희망을 잃지 말아요.

커가는 나무처럼 꿈과 열정을 품고

빛나는 미래를 향해 함께 나아갈 거예요.

봄바람 월남치마

봄바람이 스치는 길 위에 서서,

하늘하늘한 월남치마를 입은 그녀

펄럭이며 춤추는 듯한 그 모습은,

아름다움의 매혹을 뽐고

푸른 하늘과 어우러진 그 치마,

바람에 부는 소리로 은은히 흐르며,

풀밭을 달리는 꽃들은 놀라워하며,

저 멀리 작은 나비들이 춤을 추네요.

맑은 봄날, 햇살을 받아 웃는 그녀는,

자연과 하나가 되어 어우러지며

소녀의 미소에는 행복이 빛나며,

눈부신 활력이 휘감아 도네요.

손에는 작은 꽃다발을 들고,

유유히 뛰어가는 그녀는 자유로워요.

세상의 규칙에 얽매이지 않고,

자신만의 흐름을 따라가는 모습

월남치마를 입은 그녀는,

모든 시선을 사로잡고

자유로운 영혼과 아름다움이 어우러져,

세상에 피어나는 그녀는 사이공의 작은 신비

아름다움의 정수를 담은 그 소녀

봄바람이 그대로 내려 닿는 것 같아요.

월남치마를 입은 소녀의 이국적 향수는,

꿈과 영혼의 안식이 되어 펄럭이고

그녀의 모습은 한 마리 너풀거리는 나비되어

멀어져가는 사이공의 거리를 수 놓아요

봄바람에 월남치마를 입은 소녀의 춤을,

잊혀지지 않는 하나의 몸짓으로 그리며..

혼자는 외로워 둘이랍니다.

끝없는 어둠이 날 가로막을 때,

내게 달려오는 고독의 파도를 맞이하며,

희미한 빛을 따라 가는 나의 발걸음은

언제나 외로움의 속삭임을 들을 때였네.

갈망의 어둠을 헤치며 나아갈 때,

헤매이던 나의 마음에 가을비가 내릴 때,

어느덧 당신은 나의 곁에 서 있었지만,

그 어느 누구도 나의 고독을 알지 못하던 나에게

둘이라는 수식어는 낯설게 들릴 뿐이었지.

내 가슴속에는 여전히 외로움의 그림자가 머물고,

고요한 밤은 나를 향한 시선을 감싸 안았지만,

내 안에선 외롭게 울부짖는 나의 심장소리를 들었네.

그러나 당신이 온 세상을 알려주고,

나에게 웃음을 선물한 이후로,

외로움의 무게가 변해 버렸어.

그저 나 혼자만의 외로움이 아니라,

서로를 위로하며 나아가는 외로움이었어.

모든 걱정이 한꺼번에 사라진 순간,

우리의 마음은 함께 뛰었지.

감사한 마음으로 바라본 우리의 모습은

혼자서만 감당할 수 없는 빛이었네.

둘이라는 수식어가 나에게는 특별한 뜻을 갖게 되었어.

그리고 혼자라는 외로움도 따로 없어지고,

서로를 바라보며 함께 나아가는 우리에겐

혼자는 외로워 둘이랍니다.

존재의 이유

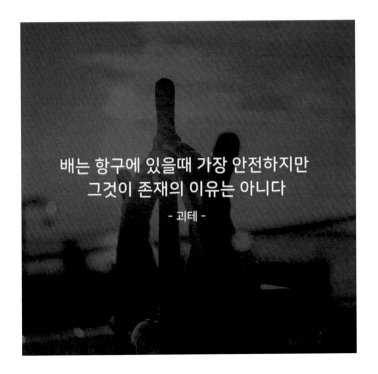

배는 항구에 있을때 가장 안전하지만
그것이 존재의 이유는 아니다

- 괴테 -

언젠가 존재라는 깊은 미로에 빠져

나는 헤메이며 답을 찾고자 했어.

어째서 태어나서 이 세상에 와서

나는 살아야 하는 걸까, 그 이유가 뭘까?

나는 구름 속에 살며 별들을 바라보고,

바다 속에 빠져서 파도 소리에 귀 기울였어.

그리고 나는 산을 오르며 바람을 느끼고,

꽃들 사이에서 봄의 향기에 취해갔어.

내가 존재하는 이유는 그 모든 것을 경험하며,

무한한 아름다움을 발견하고 느끼는 것이었어.

내가 존재하는 이유는 세상을 채우는 작은 한 조각이 되어,

그 소중한 조각을 다른 이들과 함께 나누기 위해서였어.

나는 사랑을 주고 받으며 느낄 수 있고,

나는 꿈을 꿔가며 세상을 바꿀 힘을 얻을 수 있어.

나는 도전과 역경을 이겨내며 성장할 수 있고,

나는 나 자신을 발견하며 내면의 평화를 찾을 수 있어.

존재의 이유는 작고 소중한 순간들을 채우며,

나 자신을 이루어가는 여정이었어.

세상의 풍경을 더욱 빛나게 만들고,

사랑과 희망의 메아리를 남기기 위해서.

그래서 나는 지금 이 순간에 감사하며,

존재하는 모든 것에 감격을 느끼고 있어.

나는 살아가며 답을 찾고자 하지 않아도,

세상은 나를 위해 그려져 있음을 알게 되었어.

잎새뒤에 숨은 산딸기

산딸기야 어여쁘도다

붉은 머리에 작은 알알이

절벽 위에 피어난 너의 모습

날 산속의 마법으로 인도하네

솜사탕처럼 달콤한 향기

발걸음마다 내게 다가와

오솔길 위에 넘실거리며

나를 안아주는 자연의 품

지친 발걸음을 물리치고

너를 따르는 흐르는 시냇물

여기저기 피어난 찔레꽃과 함께

산새들의 노랫소리가 흐르네

시야 넓은 절벽 위에 서면

푸른 하늘과 햇살이 반겨

산딸기를 따며 즐거움에

내 가슴은 행복으로 가득해

어린시절 학교를 오가며

산딸기로 허기를 달랜 날들

여전히 그 기억은 날 따라와

아름다운 추억으로 남아있네

산딸기야 어여쁘도다

붉은 머리에 작은 알알이

절벽 위에 피어난 너의 모습

나의 마음은 수줍은 너를 간직해

뜨락에 내리는 장마비

길게 뻗은 뜨락 위로

장마비가 가볍게 쏟아진다.

한 줄기 한 줄기 미련같은 비,

맑은 눈물처럼 땅에 속삭인다.

축 처진 꽃들이 몽글몽글 웃는다.

우산을 펴고 서성이는 사람들도

창밖의 세계에 머무르며

비를 들으며 마음을 비워간다.

시원한 바람에 흔들리는 가지에는

작은 물방울이 놀고 있다.

잔잔한 소리에 마음이 가라앉아

나도 모르게 시간이 멈춘다.

뜨끈뜨끈한 차 한 잔 마시며

맑은 비 속에 내 마음을 물들이자.

사랑에 흠뻑 젖어든 마음에

아련한 희망을 심어줄 수 있을까?

뜨끈뜨끈한 차 한 잔 마시며

비 내리는 세상에 내 손을 내밀자.

푸른 하늘에 피어나는 구름처럼

서로를 향한 마음을 드러내자.

뜨끈뜨끈한 차 한 잔 마시며

우리 함께 장마비에 적셔보자.

긴 여운을 남길 이 멋진 시간에

서로를 알아가는 시간을 가져보자.

뜨끈뜨끈한 차 한 잔 마시며

장마비에 젖어내린 시를 쓰자.

마음의 소리를 담은 글씨에

우리 둘만의 추억을 남겨보자.

느낌이 곧 기도

양자의 황홀한 춤

무한한 가능성이 펼쳐지는 공간

시간과 공간이 서로 얽혀있는 세계

자유로운 입자들이 춤을 추네

파장과 입자의 미묘한 연결

보이지 않는 힘들이 존재하는 맥점 세계

나의 마음도 양자적 존재

분열되고 얽히며 펼쳐지는 존재

감정과 생각이 얽히면 양자의 터널을 통해

희망의 입자가 퍼져나가

진정한 기도의 빛을 내뿜어

우주의 어둠을 밝혀주는 불꽃

느낌이 곧 기도

우리의 마음은 우주와 어우러져

우리가 보낸 감정이 세계를 움직여

한 줌의 사랑이 양자의 상호작용

생명력을 불어넣고 세상을 풍요롭게

우주의 심장이 되어 우리를 안아줘

느낌이 곧 기도인 이 순간

마음을 열고 존재를 느껴봐

우주와 연결되어 흐르는 무한한 에너지

양자의 비밀을 풀어

우주와 함께 춤추는 황홀한 영혼

느낌이 곧 기도의 빛을 비추네

양자의 실상을 헤쳐나가

모든 가능성을 포용하는 맥점 세계

나의 마음이 넓어지는 순간

얽힌 운명의 실을 푸는 열쇠

파동과 상호작용의 시간이 흐르면

미지의 문이 열리고 넓은 세계로

평범한 순간이 양자의 기적으로

분열되고 결합되는 놀라운 과정

나의 생각이 음영을 걷어내어

진실의 파장을 발견하리라

우주의 비밀을 탐색하는 용기

느낌이 곧 기도라고 알리네

정지와 운동이 서로 얽혀있는

물결이 흐르는 시공간의 틈새

나의 의식이 영원한 순간을 만나

찬란한 별들이 춤을 추고

모든 존재가 우주의 소리를 듣고

나의 소망이 응답하는 공간으로

양자의 터널을 통해 빛이 비추면

사랑과 희망이 퍼져나가리

느낌이 곧 기도의 순간

우주와 함께하는 우리의 존재

얽힌 운명의 실을 풀어내고

느낌이 곧 기도의 빛을 비추네

고향의 품

두메산골, 나의 고향아,

산들이 병풍처럼 너를 감싸앉았네.

푸르른 나무와 꽃, 산나물들의 향기가

사시사철 나를 감동시켰네.

소나무 숲 사이로 오솔길이 펼쳐지고,

산등성이에 초가집과 오두막집이 울타리를 이루며

옹기종이 모여 살았던 그 곳에

저녁밥을 짓는 연기가 피어나곤 했지.

아이들의 노랫소리가 왁자지껄하고,

노을이 넘어갈 즈음

어머니의 밥먹으라는 고함소리가 들려왔지.

나의집은 오두막집, 진흙으로 지은 황토집이었어.

큰 바위 뒤로 숨어있는 신작로에 올라가

넓은 밀림 사이로 뛰어놀았지.

밀림은 울창하고, 시냇물과 개울은 맑았어.

봄이면 뻐꾸기가 개울에서 울어대며

지대가 높은 곳에서 강처럼 흘러 폭포로 떨어졌지.

겨울에는 함박눈이 쏟아지고,

높은 폭설은 허리까지 쌓였지만

우리는 장작불을 지펴 추운 겨울을 이겨내었지.

장작불이 다 타면 화로에 담아온 따뜻함으로

추위를 이겨내던 기억이 떠오르네.

학교까지 십수리의 길이었지만

동무들과 함께 걸어가며 산딸기와 열매를 맛보고

숲속길을 걸어다녔던 그 시절이 생각나네.

도시락이 귀한 시절이었지만

점심시간마다 집으로 뛰어가 뜨는 밥 한숟가락

다시 학교로 향하여 뛰곤했지.

시간은 빨리 흘렀고, 수업이 시작될즈음

점심시간이 마무리되었던 것 같아.

고생스러웠던 아련한 추억으로

더욱 애잔한 두메산골,

나의 사랑스러운 고향이여

비내리는 날도 우체국에 와서 편지를 쓴다.

장마비가 추적추적 내리는 지금,

세상은 멋과 황홀함에 우수가 가득한 장면이 펼쳐집니다.

사람들은 분주한 걸음으로 우산을 잡고,

어디론가 분주하게 향하는 발걸음을 내딛습니다.

연인들은 함께 우산을 나눠들며,

꽃바구니를 품고 행복에 빠져드네요.

노점상은 비에 젖지 않게 파라솔을 들고,

어찌할 바를 모르는 할머니도 그 모습이 안타깝네요.

나는 오늘도 우편물을 가지고 우체국을 향해 가는 중입니다.

우편물 안에는 정겨운 사연과 낭만의 이야기가 담겨 있습니다.

우체국에 도착해 등기우편물을 보낸 후,

따뜻한 차 한 잔을 마시며 즐거운 시간을 보냅니다.

창밖으로는 여전히 비가 거세게 내리고 있어요.

비 속에서는 연인들의 이야기가 함께 흘러내리고 있습니다.

오늘도 우체국에 와 사연을 전하는 마음이

비와 어우러져 한결같이 진실하고 강렬하게 다가옵니다.

장대같은 빗속에서도 사람들은

각자의 할 일을 분주히 하고

삶의 활력과 희망을 느낄 수 있어요.

이 비는 언젠가 그치겠지요,

아마도 연인에게 우편물이 도착할 때 쯔음...

오늘도 나는 우체국에 와서 사연과 편지를 부치고 있습니다.

나의 소망이 모두 이루어지길 진심으로 바랍니다.

비 속에서도 희망의 꽃이 피어나고,

우리의 사랑과 꿈이 빛나는 하루가 되길 소망합니다.

흐린날의 잔상

먼지 춤추는 하늘, 흐린 날의 잔상

비 내리는 창가에 앉아서

세상에 잠긴 아련한 이야기를 풀어놓으며

구름 위를 걷는 네 발걸음

시간이 흐를수록 희미해지는 기억들

그렇게 가려진 곳에서 빛나는 너를 만난다.

잊혀진 어제와 새로운 아침 사이

마음 속에 쏟아지는 비밀스러운 눈물

그 안에서 우리 둘만의 세계가 펼쳐져

흐린 날의 잔상을 따라서

그림자처럼 스며들어 온 세상

춤을 추는 비가 너와 나의 이야기를 노래하네

아련한 그 순간을 간직한 채

흐린 날의 잔상은 아련하게 남아있을 거야

우리의 사랑을 기억해줄 거야.

흐린 날의 잔상이여

맑은 영혼에게 전해지길

너와 나의 사랑의 흔적이여

세상이 아름답게 빛날 수 있도록

초원의 빛

푸른 초원 너머 퍼지는 빛의 황금

햇살이 춤추며 노래하는 자연의 시

저 멀리서 들려오는 새의 노래와 함께

초원의 빛이 나를 감싸네

온 세상이 흐려지고 사라져도

여기서 나는 평화를 느낀다

풀잎따라 가는 발걸음은 가벼워

잔잔한 바람이 영혼을 감싸고

꽃들은 향기로 내 맘을 채운다

시간을 잊고서 나무 그늘 아래

잔잔한 시간 속에 빠져든다

나는 어디에 있든 초원의 빛은 나와 함께

여기서 나는 자유롭다

넓은 하늘과 푸른 초원이 내 안에 번지며

마음 속에 피어난 꿈을 따라 뛰어가

초원의 빛은 영원히 내 안에

자유로운 마음으로 나를 안아주는

나만의 작은 세상

푸른 초원 너머 퍼지는 빛의 황금

나의 작은 세상, 초원의 빛

비오는 용궁

비오는 날 용궁에 들어와

구름 속에 흩어진 빗방울이 노랫소리를 만드네

비온탓에 용의 날개도 젖어 푸르게 번져

신비한 세계의 문이 열리네

용궁은 푸른 하늘에 비춰지고

반짝이는 보석으로 장식된 성벽이 빛나며

우아한 기둥들이 향기로운 꽃들로 장식되고

길을 따라 걸으며 저기 사뿐한 저여인

용의 형상을 한 고운 여인이 다가오네

하얀 드레스에는 비색으로 빚어진 무지갯빛 장식이,

잔잔한 비 내음을 간직하며 그녀의 모습을 한껏 빛나게 하네

"어서 오세요, 모험가여!

용궁의 비밀을 풀어드리리니

이곳에서 맞이한 비전에 귀 기울여 주세요."

그녀와 함께 들어서

길을 따라 새로운 풍경이 펼쳐지네

비춰진 동굴 속에서는 반짝이는 수정이 천장을 밝히며

신비로운 용의 행방을 알려줄 것 같았어

그리고 마침내 용을 만나네.

비탓에 흠뻑 젖어있지만

아름다운 비늘은 여전히 눈부시게 반짝이고

눈 속에 비치는 용의 눈빛은

하늘의 비와 절묘한 조화를 이루었네

"용의 비밀을 알고 싶으시다면

여기서 당신의 용기를 시험받아야 합니다.

시련을 통해 참된 용의 심장을 보여주세요."

용궁은 비바람이 몰아치는 곳이었네

용궁전을 비추던 빛이 흐리게 사라지고,

폭풍이 몰아치는 비전에서도

용의 모습이 뚜렷하게 보였네

모든 시련을 극복한 나는

용궁의 가장 깊은 곳에 도착하네

거대한 보물이 비치는 장소였고,

용의 심장을 향한 마음이 자유로웠어

비오는 날 용궁을 찾아온 나,

비가 내리는 세상에 빛을 가져다주기 위한

용의 힘과 그 품격을 나의 가슴에 담아,

판타지의 세계를 만들어 가네

그리고 난 용궁을 떠나오네

비에 젖은 몸을 흔들며,

온 세상에 이야기를 퍼뜨릴 날을 꿈꾸며

비오는 날 용궁, 신비의 문이 열리네

한 여름밤의 선율

한여름밤의 달콤한 선율을 타고

풀벌레의 소리가 울려퍼지네

무지개처럼 퍼지는 그 소리는

경쾌한 음악처럼 마음을 울려주네

한 마리 개똥벌레가 동요에 맞춰

가로등을 따라 비추던 밤길을 날고있네

작은 몸짓 하나하나가

끝없는 존재의 아름다움을 보여주네

시냇물은 차가운 숨결로

조용히 흐르고 있네

그 유유히 퍼져나가는 소리는

나의 마음을 가라앉히고

아이들의 노는 소리가 피아노처럼

하늘을 향해 울려 퍼지네

바쁘게 놀던 시간들이

내 삶에 미소를 띠우며 행복을 부르네

이 한여름밤의 시선을 따라

풀벌레, 개똥벌레, 시냇물소리, 아이들소리

이 모든 것들이 함께 춤추며

한여름밤을 풍요롭게 채우고 있네

마당목 전설

산길을 따라 수십리를 걸어가야 마을이 나오는 곳,

그곳은 마당목이 펼쳐진 아름다운 곳입니다.

들녘에 펼쳐진 드넓은 평지 위에는

돼지감자 밭과 옥수수 밭이 자랍니다.

산아래를 휘감은 대지에는 고요하고 넓은 논이 있어

푸르게 펼쳐진 벼가 우리를 맞이합니다.

우리는 이곳에서 돼지감자를 캐고

도시락을 함께 먹었죠.

동네에서 온 아낙들과 총각들이

담소를 나누며 즐거운 시간을 보냅니다.

산나물, 더덕, 고사리, 오미자 등

다양한 산나물을 한 보따리씩 꺾어

산을 넘고 넘어 먼 곳을 돌아왔어요.

비탈진 산길이었지만,

산나물을 맛보는 행복과 함께

산넘고 산넘어 오솔길을 따라

초가와 오두막, 돌담집의 평온한 풍경,

행복한 일상들과 우리들의 추억을 만끽했습니다.

다시는 돌아올수 없는 마당목의 전설은

우리들의 꿈이야기

산길을 넘어 먼 산을 넘어

행복한 추억들을 안고

숨쉬는 마당목의 아름다운 풍경이 눈앞에 선합니다.

허풍쟁이 엿장수

가난한 탄광촌 까만 거리에선

가끔 엿장수가 찾아왔네

동전이나 쇠, 병, 구리, 고철, 폐지등을 가져와야만

달콤한 엿을 얻을 수 있었지

아이들은 눈을 크게 뜨고

쇳덩이나 못쓰는 냄비, 병을 찾았지만

고물은 결코 나타나지 않았네

가끔은 달콤한 유혹에 빠져

집에 있는 귀중한 물건들을 주고

엿을 얻고 부모님께 혼줄이 나는 아이들도 있었지

엿장수는 입담이 대단하여

마을 사람들이 삼삼오오 몰려와서

형편 좋은 집은 고물을, 넉넉한 집은 동전을 주고

엿을 얻을 수 있었지만, 우리는 그저 바라보기만 했네

입담도 좋았지만 허풍이 심해서

우리는 그를 허풍쟁이 엿장수라고 불렀네

어느 날, 허풍쟁이 엿장수가 말했지

"니야까를 밀어주면 조금의 엿을 줄게"

그것에 속아 나와 정성이는 엿구르마를 밀고

마을과 언덕을 오갔지만, 엿은 거의 돌아오지 않았네

고갯마루를 오르며 힘겨운 길을 가다가 잠시

엿구르마를 세웠지만, 콩알만큼의 엿을 주더니

그래도 배고파 허기져서 받아 먹고 미소지었네

어느 지대높은 산마을에 도착했을 때

아이들이 뛰어놀고,

정자그늘밑 사람들이 휴식하는 모습을 보았네

그 중 우리반 여자아이가 달려오는 걸 봤어

나는 어린 나이임에도 너무 부끄러워서

엿구르마를 밀던 손을 놓고 돌아서 버렸네

잠시 시간이 흐르고 돌아보니

그 여자아이는 사라져 있었네

난 그 여자애가 나를 못 본 것을 천만다행으로 생각했지

허풍쟁이 엿장수는 우리를 끌고 다녔지만

하루 종일 아무것도 먹지 못하고 엿구르마만 밀었네

언덕길을 밀며 험난한 길을 걷고 있었던

그 허풍쟁이 엿장수와 잠시 함께한 시절

우리는 배고픔과 힘겨움을 딛고

어른이 될 준비를 하고 있었어

지금은 상상할수도 없는 배고픔을 이기며

엿 한 조각에 우리의 꿈과 희망을 담았네

수재민의 삶

푸른 하늘에 어두운 구름이 떠돌고

장마가 들이닥친 홍수의 상처는 여전히 깊어

마을 사람들은 수재민으로 남았지만

서로의 손을 잡고 버티고 있네

초등학교 운동장에 겹겹이 겨우친 천막은

하나하나가 희망의 가옥이 되었고

옹기종기 어려운 가운데서

서로의 미소와 따뜻한 어깨가 어울리네

어린 아이들은 피난처에서도 웃음짓고

어른들은 힘들어도 흔들리지 않고

하루하루 지친 몸을 이끌고 앞으로 나가네

봉사단의 손길이 새 희망을 심어주네

가을이 되어도 마음은 여전히 겨울이고

비 내리는 날엔 더욱 힘겨움이 맴돌지만

우리는 함께한 만큼 강해지고

서로에게 정을 받으며 버티네

이 소중한 마을은 하나의 가족이 되어

어려움을 함께 나누는 공동체로 거듭나고

장마철 수재민의 애환은 담담한 시련이지만

힘들어도 서로의 품안에 위로가 있네

슬프고 지리한 어려움이 해소되기를 기도하며

장마철 수재민들은 서로를 응원하고

가슴 아픈 사연과 애로와 삶의 애환은

서로의 연대와 뜻있는 봉사단의 손길로

희망의 꽃씨를 피우고 있네

플레이아데스로 날아간 소년

하늘을 뚫고 날아올랐다

외계 비행선에 실려 푸른 우주로

꿈틀거리는 별빛이 춤추는 곳으로

소년은 꿈을 향해 날아 갔다.

끝도 없이 무한한 우주는

저마다의 비밀을 품고 있었다

불가사의한 행성들이 펼쳐지며

소년은 놀라움에 입을 크게 벌렸다.

플레이아데스, 그 놀라운 세계는

눈부신 아름다움으로 가득 차 있었다.

은하수가 쏟아지는 밤하늘은

신비로움으로 소년을 감동시켰다.

그곳에서 만나는 외계인들은

다양한 모습과 언어로 소통했다

소년은 우주의 다양성을 느끼며

상상을 초월한 새로운 친구를 만났다.

그러나 가족과 친구, 익숙한 곳이 그리워

소년은 다시 땅으로 돌아가야만 했다.

하지만 그 마음은 플레이아데스에 남아 있었다.

플레이아데스는 언제나 그리운 곳이었다.

플레이아데스로 날아간 소년의 추억은

끝없이 펼쳐지는 우주의 이야기로

그 어느 때보다 멋진 꿈이 되었고

소년은 그리움을 안고 돌아왔다.

오래된 책장 위에서 발견한 이야기는

소년의 용기와 상상력 그리고

어느새 세계를 바꿀 이야기로 자라나고

우주의 품에 피어난 아름다운 꽃처럼

소년은 더 큰 꿈을 향해

플레이아데스를 품었다.

서이랑 고개

서이랑 고개를 넘어 마을을 향해 가는 길,

기암절벽 아래 봄, 여름, 가을, 겨울의 꽃들이 피어나는 멋진 언덕.

서이랑 고개의 절벽 너머 떠오르는 풍경,

우리를 맞이하는 몽유도원과 같은 풍경.

안개 속에서 희미하게 보이는 그림 같은 귀신,

서이랑 고개에서 춤추는 그 모습은 아름다움에 취하게 해.

절벽 위로 스산하게 떠오르는 안개,

우리를 감싸 안아 마치 느린 시간 속에 머무르게 해.

그리고 비 오는 날의 서이랑 고개,

우리를 감동시키는 운치 속에 흠뻑 빠져들게 해.

언덕고개의 풍경, 서이랑 고개의 절벽,

그 모든 것이 아름다움에 가득한 곳으로 끌어당겨.

여유롭게 살펴보고 싶지만 다가갈 수 없는 절벽

차원속으로 사라져 그 누구도 볼 수 없는 곳.

지난 추억 속에 담아둔 서이랑 고개,

그 아름다움이 떠올라 심장을 뛰게 하는 곳.

서이랑 절벽바위의 풍경과 언덕고개,

내 마음 속에 그리워서 지금도 남아있는 곳.

지나간 날들의 추억과 함께하는 서이랑 고개,

신비의 작은 마을, 아름다운 곳이여

한 여름밤의 매미소리

푸르게 물든 하늘에 달빛이 흐르고,

바람은 솔솔 부는 한여름의 초저녁밤

매미들의 소리가 부르는 아름다운 밤,

저 멀리 은하수도 흘러가네.

바쁜 도시의 소음은 멀리 사라지고,

별들이 춤을 추는 어둠이 펼쳐져.

온기에 몸을 맡긴 땅 위에서,

나의 마음도 행복한 노래를 불러요.

노래는 작은 속삭임처럼 나를 위해,

꽃들은 그 향기로운 춤을 추고,

차가운 술잔 속에서 얼어붙은 얼음처럼,

가슴 깊숙히 잠든 감정들이 녹아내려요.

여름밤의 매미소리는 멈출 줄 모르고,

그리운 사람들의 마음을 깨우네요.

아름다운 이 밤을 함께하고 싶은데,

달빛 아래서 나를 기다려주는 그 사람은 어디에

불안한 마음도 매미소리에 묻혀서,

평온한 밤은 나의 고동을 감싸안죠.

잠시 모든 걸 잊고 눈을 감으면,

자유로운 꿈이 나를 찾아와요.

한여름밤에 노래하는 매미소리는

어쩌면 부드럽게 들려오고

내 마음속에 새겨진 너의 노래는,

한여름밤의 고동이 넘쳐 흘러요.

시골 소풍

고풍한 정암사 사찰로 떠난 우리들은

수려한 경관과 함께 행복한 하루를 만들었네요.

산새의 노래와 흐르는 냇물 소리가

우리 가슴에 온기를 불어넣어 주었죠.

가볍게 피크닉 매듭을 풀어놓고

수건돌리기 놀이로 소풍을 시작했어요.

웃음 속에 어울린 장기자랑과 보물찾기는

잊지 못할 추억으로 남을 거예요.

숨겨진 보물을 찾으며 숲속길을 걸어가면

시원한 시냇물가가 우리를 기다리네요.

손에 꼭 쥐고 노래하는 반별 노래자랑은

행복한 노래들이 저마다의 색으로 빛났어요.

도시락을 풀어놓고 함께 먹은 맛있는 음식은

이 소중한 순간을 더욱 따뜻하게 만들었죠.

산과 시냇물이 우리 주변을 감싸안으며

사찰의 평온이 마음 깊숙히 스며들어요.

스님들과 비구니가 저 멀리 보이고

우리에게 따뜻한 미소를 보내주네요.

그 소박한 따스함이 마음에 기억될 때면

하루의 무게가 가벼워지는 기분이네요.

소풍 도중 들려오는 염불소리는

천국의 음악 같아서 눈을 감고 듣네요.

시골의 평온한 풍경과 우리의 행복한 노래가

이 곳을 향한 그리움을 남기며 울려요.

소풍이 끝나고 학교로 돌아오면서도

소중히 간직할 추억이 남았네요.

우리는 더 큰 꿈을 향해 추억을 노래하며

시골 소풍의 아름다운 추억을 마음에 담아요.

역전 가는길

눈 하얗게 덮인 산길을 걸어가며,

신작로로 우리는 고한역전을 향해 떠나요.

방학이 끝나 이동을 위해 출발한 고한역전길,

즐비한 탄차와 버스, 그리고 포니택시들이 서로 지나가며 붐비네요.

도중에는 연탄공장과 사택, 초등학교,

신작로 주변에는 현대적인 상점과 전파상이 그려지네요.

아버지는 오랜만에 시장에서 일을 보러가기로 했죠,

함께 내려가자고 말해주셨어요.

고한의 눈오는 날씨,

눈이 많이 내리면 산과 들은 하얗게 변하고,

세상이 새하얗게 묻혀버리는 걸요.

함박눈이 쏟아지면서 눈발이 무릎까지 쌓이고,

앞이 보이지 않을 만큼 눈이 쌓여요.

우리는 미끄럽지만 눈을 품으며 걷고,

친구 령이는 즐거워하며 눈세례를 받네요.

경상도 아이인 령이는 처음 보는 이렇게 많은 눈에 감탄하며,

하늘을 향해 두 팔을 벌리며 강아지마냥 뛰네요.

마침내 고한역전에 도착했을 때,

눈은 이미 무릎까지 쌓여 있었고,

온 세상을 하얗게 덮고 있네요.

아버지와 아쉬운 이별을 하고,

떠나는 부친을 멀리 바라보네요.

그 뒤로도 이렇게 많은 눈을 본 적은 없어요.

역전가는길 낭만과 감동이 고스란히 녹아들어,

추웠지만 따스함과 훈훈함이 있어요.

길을 따라 펼쳐지는 풍경들,

눈이 쏟아지는 그 풍경 속에 우리의 이야기가 빛나네요.

역안에서 그나마 추위를 잠시 녹힐수 있는

연탄난로 주변에 사람들이 옹기종기

저마다의 이정표를 그리고 있어요.

우리도 마침내 개찰구에서 찰칵 개찰하고 선로에 몸을 실어요.

버들치 함태

버드나무가 많아 버들치가 된 함태

버들치 고갯마루를 넘어 다니곤 했어요

봄에는 진달래 여름에는 수양버들

가을에는 형형색색 단풍과

겨울에는 화롯가에 옥수수가 무르익어가는 아름다운곳

초등학교를 오가며 들녘에 피어나던 코스모스길

작았던 마을에 사람들이 모여들어

너무나 커져서 함태라는 이름보다 소도라고 불러요

언제나 함태탄광에서 석탄을 캐던 아저씨들의

시커먼 얼굴에서 다정하고 친절한

인심이 마을의 수양버들과도 잘 어울렸던 곳

이제는 사람들의 뇌리에서 잊혀져 가는곳

봄이면 함태의 오지에서

뽕도 따러다니고 추자며 오미자

고사리, 갬추, 달래등 바구니를 메고 산나물을 캐었죠

여름에는 산딸기를 바구니 가득가득 따서

소도시장까지 나가서 팔기도하고

그것으로 소금도 사고 고무신도 샀네요

그때는 정말 기분이 좋았어요

새로산 고무신을 신고 고무줄 놀이를 하고

힘든줄 모르고 시간가는줄 모르고

함태 초등학교에서 마을로 돌아올 때

시오리길이 멀지 않게 느껴졌어요

가을에는 뽕밭에서 뽕을따서 오디를 말리고

뽕잎을 따곤했지요

뽕밭에 자꾸 동네 남정네들이 따라오곤 했죠

남정네들은 뽕따는 일도 도왔지만

가끔 아주 짓궂었어요.

하지만 가끔 익살과 짓궂은 남자애들때매

노동하는동안 시간가는줄 모르고

돌아오는길에 함태탄광에서 나오는

돌석탄을 바구니에 담기도하고

구리나 철광석도 언덕빼기에 나둥구는 것은

담아와서 땔감대신 유용하게 사용하기도 했죠.

이제 함태라는곳은 가물가물하지만

우리가 함께한 시간은 남아 있어요.

퇴색되어 허물어진 옛터의 기억처럼

함태와 함께한 시간의 추억은 아련한

기억의 저편에서 노래하네요.

불땅골 신화

바위와 산들이 어우러진 불땅골에 나의 집이 자리잡았네,

붉은 진흙으로 둘러쌓여 불땅골이 되었네.

전쟁후 먹고살 길을 찾아 헤맨 부친이 택한 곳은

첩첩산중의 작은 오두막,

부친은 손수 그집을 붉은 찰흙으로 지으셨네.

그 속에서 난 세상에 빛을 보게 되었네.

부친의 손으로 창창한 화전밭을 일구고,

솜씨좋은 어머니의 손놀림,

감자와 옥수수, 작물들이 풍성한 수확을 기약하며

우리들과 함께 자라나네.

불땅골은 지도에도 없는 첩첩산중

외딴집한채 허허벌판처럼 평화로운 곳이였네.

오직 인력과 손수레로 모든 짐을 싣어나를 수밖에 없었지

하지만 부모님의 굳센 노력으로 이곳은

풍요롭고 따뜻하고 맑은 샘물이 흐르는 둥지로 가꾸었네.

굳세고 부지런히 일하던 멋쟁이 부친은 가끔

아랫마을과 장터에 나가려고

검은 코트를 잘 어울리게 차려 입으셨네.

솜씨가 뛰어난 어머니는 바느질과 뜨개질 그리고 온갖

집안일을 알뜰하게 도맡아 하셨네.

감자떡과 옥수수빵, 그리고 텃밭에 오이와 상치, 가지, 고추등

화전밭을 일구어낸 텃밭에서 키워낸 먹거리들로 채워진

식탁은 항상 황금빛으로 빛났지.

산에서 자연히 흐르는 옹달샘 샘터로 물이 흘러와,

맑은 물을 걱정 없이 마실 수 있었어,

이 자연의 선물, 식수와 함께 이 곳에 터를 잡았던 거야.

단 한 채의 집이지만,

어린 우리남매들과 산새와 종달새,

뻐꾸기가 친구가 되어주었어,

자연을 벗삼아 우리 가족은 행복한 생활을 즐겼네.

마을로 향하는 길은 멀어서

아이들이 혼자 다니기에는 위험하고

학교까지는 너무 먼 거리여서

소두라는 작은 마을로 이사를 하게 되었네.

그곳은 외부와 어느정도 교통이 되고

이웃들이 있었고 백미터 앞에는 부친이 일하는 서일항이 있었네.

소두집은 아늑한 오두막 집뒤로 큰바위와

병풍처럼 휘감는 산과 들 그리고 오솔길이 있었지.

집 앞으로 맑은 시냇물이 흘러가고 봄이면 뻐꾸기가 울었지.

집앞으로 작은 텃밭에 오이와 채소를 심고 호박도 심었지.

소두에서도 행복한 나날들을 보냈지,

어느날 부친은 살던 집을 증축하려고 대들보를 옆으로 세우셨고

구들을 말리기 위해 아궁이에 장작을 넣었지.

그러던 어느날 브레이크 고장난 석탄차가 미끄러져 기둥을 박았지.

살던 집이 무너지고, 그아래 깔리게 되었고,

동네사람들이 몰려들고 소식을 들은 부친이 달려오고,

다행히 우리는 빈공간에 머물러 다친사람은 없었고

그후로 상갈래로 이사를 가게 되었네.

이렇게 불땅꼴의 신화는 이름없이 묻히게 되었네.

싸리덕 사람들

아름다운 고산마을

비탈길을 엉금엉금 기어오르며

싸리나무의 향기가 느껴지는 언덕으로 향해

고산지대의 보물 싸리를 채취하여

수공예품을 창조하는 싸리덕

싸리덕은 언제나 안개 짙은 곳,

높은 고산마을 속에 자리한 곳.

경사가 가파른 비탈길을 타고 올라가야만 해,

그러나 그 위엔 싸리나무 풍성한 언덕들이 펼쳐져 있어.

싸리의 아름다움이 이 땅을 가득 채워,

지게에 지고 신작로에서 손수레를 끌어

수십리 고한시장에서 내려가 모두와 만나게 되는 곳.

수작업으로 만든 그 소중한 것들은 사랑으로 꾸며내어,

인간의 손과 마음이 어우러진 아름다운 예공예품

겨울이면 한 발을 놓치기 쉬운 추락 위험도 있지만,

그럼에도 여기 사람들은 엉금엉금 기어 오른다.

여름이면 산딸기와 다래, 칡넝쿨,

싸리덕의 향기로 얼룩져있는 열매들은

쌀에 묻으면 며칠이 지나면 달콤함이 넘친다.

싸리덕은 세상과 단절되고,

바깥과의 연결은 싸리 수공예품을 팔때뿐

이 작은 마을은 자급자족으로

자연과 함께 덤으로 살아가는 하늘을 닮은 공동체.

화전밭에서는 무와 감자가 풍성히 자라나네.

싸리울타리와 싸리문을한 집들이

옹기종기 살며 공동체의 따뜻함을 나누네.

안개와 운무에 신선들이 기거하는 이곳,

하늘위에 떠있는 라퓨타와 같은 공간이로다.

재룡이와 함께 기어서 올라가던 그 길,

읍내의 학교에 갈 열망을 품고.

비탈길을 엉금엉금 올라가며 느낀 그 시절

고무신보다 짚신이 더 편하다던 그 말,

자연과 어우러진 마음을 담은 소중한 이야기.

도시락 속 감자와 옥수수의 맛은 진정한 행복

밀가루 튀김 하나에 최고의 맛을 느끼는 순간

싸리덕, 그 흔치 않은 마을의 미소와 따뜻함,

자연의 보물을 손으로 만들며 느낀 행복.

하늘밑에 또 하나의 세계를 발견하는 듯

세상속에 또 다른 세상을 마주하는 듯

싸리덕, 아름다운 고산마을의 신화같은 이야기.

오황집할매

나전 이모집에서 머물렀던 갓난아기 시절

산발하던 머리카락과 부스럼을 앓던 어린아이

두문불출 어머니 품에서만 꼼짝없이 생활했네

아버지는 일터의 일과 생활방편으로

잠시 오황집 할매집에 하숙터를 잡았네

오황집 할매, 그 마음 따뜻한 사랑으로 우리를 감싸주던 분

어린 마음을 지키며 돌봐주셨네

그 손길 하나에도 감사함이 가득하던 당신은,

어려웠던 그시절 참 감사한 은인이였네.

머리에 부스럼이 나고 두문불출했던 나는

어머니품에서만 지냈고

지금도 선명하게 이리저리 머리흉이 남았네.

초등학교 고학년이 된 날,

오황집 할매를 동네에서 한번 뵈었지

많이 늙으셨지만 여전히 반가워하던 모습은

그대로 내 마음에 흐릿하게 그려져 있네

하숙집을 운영하며 지내신 그 기간,

우리가 함께한 모든 순간은 소중했지만,

어머니는 조금씩 아프기 시작했고

때때로 머리에 짐을 이고 손에 들고 어린아이들을 붙잡고

정처없이 거리를 떠돌고 역전에서 배회하네.

그러다 수용소에 갇히게 되었고

수많은 사연들이 어우러진 그곳에서 힘든 시간이 흐르네.

하지만 우리는 서로를 지켜내며 견뎌냈고

보호자가 있는 사람들은 집으로 돌아갈 수 있었네

때가 되면 다시 어딘가로 떠돌던 어머니

그럴때마다 부친은 하던일을 뒤로하고 어머니를 찾아나섰네.

그 모습은 항상 우리 가슴을 아프게 했고

때가되면 고향으로 다시 돌아오시던 어머니

우리남매는 언제나 함께였고

우리의 마음은 흔들리지 않았네.

언제나 어려움이 많았던 시절

가족끼리 함께 지낸 시간은 정말 소중했네.

집단장

새로운 시작, 가족의 의지가 빛나는 날

함께 손을 잡고, 끝까지 힘든 작업을 해낸 날

아름다운 옥상을 만들며

아들과 아빠의 손길이 어우러진 날

뜨거운 날씨, 땀으로 젖은 채 페인트가 요술을 부리고

집을 꾸미며, 행복을 만드는 날

다채로운 손길로 아름다운 벽들이 탄생하고

나무계단과 목조의 매력이 빛나는 날

앞마당과 뒤뜰, 예쁜 페이트칠이 빛나는 날

별장의 멋과 풍경이 피어나는 순간

태풍이 와도 끄떡없어요,

가족들의 사랑과 노력이 함께하는 뜻 깊은 날

이렇게 새롭게 단장된 집, 우리의 작은 세상

어느 곳에도 빛나고 아름다움이 넘치는 날

가족들의 사랑과 소중함을 노래하며

새로운 시작을 축하하였네.

홀로가는 길

비온 뒤 무지개 피우는 하늘,

길가에 떨어진 물방울은 마치 눈물.

흐려진 내 마음을 닦아내듯,

하나 둘 걸어가는 발걸음.

어제까지의 기억들이 번뜩이며,

그림자가 되어 뒤를 쫓는다.

저 하늘엔 별들이 반짝이는데,

혼자 머물다 언제인가 떠나는 밤.

언제부터인가 잃어버린 꿈들이,

내 맘을 찾아 헤매고 있네.

하지만 난 멈추지 않아,

지칠 줄 모르는 믿음과 함께.

발걸음은 더 빠르게 가속되며,

고요한 비는 음악이 되어 흐른다.

험난한 길이지만 겁내지 않아,

내일은 오늘보다 더 빛나는 걸.

홀로라도 두려워하지 않아,

자유롭게 날아오를 그날을 꿈꾼다.

믿음은 보이지 않는 것들의 증거

어둠이 깊어지는 저 하늘에

수많은 별들이 빛나고 있어요.

보이지 않는 믿음의 증거

따스한 빛으로 눈을 채워 주네요.

때론 풍파가 몰아치고 바다가 격렬하게 요동치지만

믿음의 섬으로 나는 헤엄치네요.

시련과 고통 속에서도 희망을 간직하며

끝없는 용기로 인생의 새로운 길을 밟네요.

나뭇잎 하나 떨어지는 것도 미세한 행운

우연이 아닌, 우리에게 주어진 보상

우리 믿음은 온 세상을 채우며

우리의 내일에 환희를 노래하네요.

보이지 않는 강인한 뿌리가 우리를 키우고

위태로운 가지를 더 높이 뻗치게 해요

하루하루를 믿음의 이름으로 빛나게 하며

숨겨진 꿈들이 꽃 피우게 해요.

믿음은 우리 안에 흐르는 나무 깊은 곳의 물

흐르지 않으면 맑고 깨끗한 힘을 잃어요.

믿음의 물결은 삶의 바다를 건너

무지개를 이끌어내며 영원히 빛나는것

지금 우리는 믿음을 품고 서있어요.

보이지 않는 것들이 증거인 것을 알아요.

믿음의 힘으로 모든 꿈을 이루고

세상을 아름답게 만들어 갈 테니까요.

돼지와 진주

눈 앞에 있으나 가치를 알지 못하니.

돼지의 눈엔,

그저 허무한 덩치일 뿐일세.

숨겨진 아름다움, 환히 빛나는 진실,

관념의 향연 속에 비추어지는 보석.

하지만 도무지 이해하지 못하는 자에게는,

단지 허무하고 무용할 뿐이니.

진주의 광채를 보듯이 빛나는 가치,

그 무게와 뜻을 알지 못하는 인생길

온전한 미덕과 진실의 감동이여,

무시무시한 어리석음의 쇄도에 멸망하리.

물에 잠기고 기름에 흠뻑 젖은 돼지처럼,

현실의 진리를 모르고 무관심한채 살아가네.

그러나 자비로운 주인의 손에선,

새로운 빛이 비추어질 것이니.

멋진 시간 속에 소중한 순간을 느끼고.

진주와 보석이 우리의 손에서 빛날 때,

사랑과 현명함으로 인생을 장식하리

세상에 빛나는 진주여,

무엇보다 소중한 것에 눈을 뜨게하고

가치를 모르는 돼지의 눈을 벗겨,

진실과 아름다움으로 가득한 세상을 느끼게 하소서.

달빛연가

달빛아래 나무 그늘, 스산한 바람이 불어오고

어우러진 미소, 눈빛이 서로에게 교차한다.

남자의 손이 여자의 손을 부드럽게 어루만지면

그 손길에는 애절한 감정이 흐르고,

마음이 어루만져진 듯한 따스함이 번져간다.

달빛이 그들을 감싸 안고,

작은 나뭇잎들이 가볍게 춤을 추며 떨린다.

그 순간, 세상의 모든 소리가 사라지고,

오직 그들만이 존재하는 듯한 시간이 흘러간다.

여인의 눈동자 속에는 은은한 눈물이 반짝이며,

남자는 그녀의 머리카락을 쓸어주며 속삭인다.

"이 순간을 영원히 함께 하고싶어.

내 손을 놓지 말아줘, 오 나의 사랑."

달빛아래 그들의 사랑은 고요하게 흐르고

마치 달과 별들이 그들의 이야기를 듣듯이.

이 세상의 모든 아픔과 슬픔도 잠시 잊게 되고,

남녀의 애절한 사랑만이 빛난다.

달빛연가, 그 소중한 순간은 영원하고

두 사람의 마음은 하나로 어우러지고,

세상은 둘만의 사랑으로 물들어간다.

광복절

황금빛 햇살 비추는 날,

우리는 자유의 날을 맞이하네.

옛 빛과 그림자가 뒤섞인 길에서,

빛나는 미래를 향해 걸어가네.

끝없는 투쟁과 희생 끝에 이루어진,

광복의 날, 영원한 기념일.

땀과 눈물로 새긴 역사의 길을 따라,

자유의 날개짓이 점점 더 크게 펼쳐지네.

서로 손을 잡고 함께 나아가면,

지켜낼 수 있는 이 땅의 아름다운 꿈.

우리의 땀과 피가 스며든 이 땅에,

자유와 행복이 만발하네.

고단한 시련 속에서도 불굴의 의지,

빛나는 미래를 향한 열정이 우리를 이끌어.

광복의 아침 햇살 아래 우리는,

한 마음으로 또 하나된 새로운 시작을 함께 하네.

손풍금수

거리를 풍성하게 물들인 손풍금 소리,

한 손엔 손풍금을, 한 손엔 희망을 품고.

길가에 선 손풍금수의 눈빛은 밝고 환하며,

그의 음악은 마음을 따뜻하게 녹이네.

길거리는 그의 리듬에 맞춰 춤추며,

사람들은 그 소리에 마음을 열고.

정겨운 음악의 시간 속에서,

손풍금수는 연주로 세상을 밝혀주네.

풍부한 음악이야기가 그의 손가락에 흐르며,

전해지는 감동은 마음을 따뜻하게 만들고

거리의 손풍금수는 작은것들 속에서도

아름다움과 소중한 순간을 찾아내고

그의 노래는 시간을 초월하여 흐르며,

세월의 흔적을 따라 향기로운 추억을 남기고

거리의 손풍금수의 멜로디는 우리에게

인생의 아름다움을 노래하는 소중한 선물

거리의 손풍금수,

그림자 속에 숨쉬는 음악의 마법,

손끝에서 춤추는 환상의 선율로 세상을 감동시켜.

거리는 손풍금에 맞춰 놀라운 춤을 추며

사람들의 눈동자에는 희망의 별빛이 반짝이네.

그의 노래는 잔잔히 흐르며,

마음을 가득 채우는 따스한 빛과 소리

손풍금수의 손길은 우리를 기쁨으로 인도하고,

그의 음악은 어두운 곳에서도 빛이 나네

풍성한 음색으로 그리운 고향을 불러보고,

화려한 열정으로 세상의 아름다움을 노래하네.

거리의 손풍금수, 손끝에서 우리는

인생의 환희와 감동, 자유로운 꿈을 꿈꾸는구나

소두가는길

소두가는 길 속에 기암절벽 높이 솟은 산봉우리,

오솔길 사이로 피어나는 참꽃과 나무 열매의 향기.

동심으로 걷던 그 길의 흔적을 따라 걸어가면,

내 마음이 따뜻한 풍경에 녹아나는 듯해.

소풍같던 우리 날들, 소두길 소담한 길 위에,

발자욱이 남는다면 시간의 산길에 흐린 흔적을.

하늘에 옹달샘 물은 맑고, 마음은 조용한 평온함에 취해,

목마른 마음을 충전하던, 삶의 작은 행복들을 느껴.

서일항 고개 넘어 마을이 보이고

자연과 어우러진 그곳, 온 마을이 품어낸 풍경.

재홍이네 큰터의 집에는 어머니의 따스한 손길,

마을을 거슬러 시냇물이 흐르며 시간도 천천히 흘러가네.

성황당 위로 올라가면 산새의 노래가 흐르고,

숲의 향기와 돌산의 차가움이 어우러져.

무덤을 베개삼아 노닐던 날들, 해가 서서히 저문다면,

땅거미의 작은 실처럼 돌아가는 추억들에 잠기네.

소두가는 길을 걷던 시간의 회상은 멈추지 않고,

지금도 내 마음에 아름답게 피어나네

소두가는 길 위에 머물며 느껴지는 평화의 순간,

그 속에 내 모든 감정을 담아 노래하네

대관령 신령터

대관령신령터, 안개 자욱한 언덕길에 위치한 곳,

소나무 숲이 안고 있는 그 풍경 아래 신선들이 살아가네

여기서 시간은 천천히 흐르며, 마음의 안식처가 되는,

소나무밭에 운치를 더해주는 단풍잎의 어은 음악.

신선들은 마음을 가다듬고, 자연과 조화를 이루며,

대지의 품에서 힘차게 피어나는 생명의 아름다움.

손으로 밀어내는 안개의 자욱함처럼,

일상의 모호함을 떨쳐내고, 진실을 마주하는 순간.

신선들의 일상은 소나무밭의 향과 함께 흐르며,

간절한 소망이 되어 하늘을 향해 솟아나네.

대관령신령터, 그 언덕길 위에 서있으면,

마치 신들의 손길이 닿는 곳에 서 있는 듯한 느낌.

이곳은 운명의 실이 꿰어진 곳일지도 모르며,

신선들의 삶은 그 속에서 자연스럽게 펼쳐지는 이야기.

대지의 심장소리와 함께 노래하는 그 곳에서,

나는 신선들의 희망과 사랑, 그리고 용기를 느껴보네.

대관령신령터, 멀리서도 그 아름다움을 느끼며,

내 안에 신선들의 정취가 피어나고, 풍경이 펼쳐지네

대관령신령터, 언제나 나의 상상의 나래를 펼쳐주며,

신선들의 삶은 나에게 희망을 안겨주고, 영감을 주는 곳

환상여행

타임머신을 타고 1978년으로 갔을 때,

옛고향의 풍경이 나를 반겨줬어.

향수 어린 오솔길, 그 위를 걷던 내가

어린시절 나와 만나 정담을 교환했어.

철 없던 나, 아이들과 함께한 이야기,

먼지 풍기던 그시절 친구들과 재회를 하고,

어딘지 모를 어색함이 물씬 풍겼어.

내가 지금보다는 훨씬 어린 나이였으니까.

옛집을 찾아가면 초등생이었던 내가,

쪼그리고 숙제를 하던 모습이 펼쳐졌어.

마당과 들과 뜰에 뛰노는 아이들,

그들의 순박한 웃음 속에서 행복이 느껴져

어린 소일이, 검은 피부에 개구쟁이의 모습,

날 알아보지 않던 그 모습을 본 순간,

어린 시절의 나를 웃음짓게 만들었어.

미래의 내가 찾아왔다는 걸

아이들에게 전혀 알려주지 않았어.

과거의 나를 다시 만나 감동을 나눴고,

어려운 환경에서도 살아가는 그의 눈빛을 보았어.

꿋꿋하게 나아가는 모습에 감동했어.

내가 미처 알지 못했던 그의 힘은 대단했어.

과거의 돈을 줬지만 받지 않으려던 내 모습,

내가 자신의 수호신이라고 말하는 그 모습은

머릿속에 간직하고 느끼게 했어.

과거의집, 초라하지만 그곳에서 나의 꿈들은 빛나고.

옛일을 살펴보고, 과거의 내 모습에

고개 숙이며, 되돌아봤어.

소중한 물건을 가지고 나의 시대로 돌아왔어.

과거와 현재가 만나 흐르는 시간을 느꼈지만,

환상여행에 나는 감사함을 느꼈어.

오솔길

오솔길을 걷는 발걸음,

그 어딘가에는 향수 어린 추억이 자리하네.

옛 미소와 함께 떠오르는,

소년시절의 내 모습, 그리운 그 순간들.

시간의 흐름이 멈춘 그 곳에,

살아 숨쉬는 추억들이 빛나고 있어.

먼 훗날, 오솔길의 바람을 따라,

영원히 간직하고 싶은 나만의 소중한 기억들.

그 길가에는 잔잔한 낙엽이 쌓여,

한 걸음 한 걸음, 나를 안아주는 듯해.

나무들의 속삭임과 바람의 소리,

모두가 내 곁에 있는 것처럼 느껴져.

무심히 떠올랐던 그 시절의 친구,

어깨동무였던 그들과의 행복한 날들.

오솔길의 향기와 함께 떠올라,

기억속에 묻어둔 소중한 순간들.

오솔길은 내게 정감 넘치는 풍경,

서러움과 기쁨이 함께한 나만의 이야기.

한편의 영화 속 주인공처럼,

오솔길 위에 펼쳐지는 나만의 여정.

시간이 흘러도 변하지 않는,

내 안의 오솔길과 그 위의 추억들.

향기로운 바람에 내 몸을 맡기며,

계절의 변화에도 오솔길은 변치 않아.

끝없는 오솔길을 걷다보면

내 마음은 호수.

오솔길의 갈림길에 나를 남겨두며,

추억의 발자국이 이어지는 길을 걸어갈게.

탈출기

황량한 시간의 틈새로 빠져나와,

끝없는 자유로운 하늘을 날아보자.

그 어디에서도 막히지 않는 길을 향해,

탈출의 날개를 펼치며 나아가는 여정.

고요한 새벽의 안개에 휩싸인 채,

그 품속에 숨겨진 비밀을 풀어보자.

오래된 굴레와 속박을 벗어던지고,

진정한 내 모습을 찾아가는 탈출.

끊임없이 번져가는 도시의 소음,

뒤로 두고 멀리 떠나는 순간의 여유.

도망치듯이 뛰어나와 모든 것을 뒤로 한 채,

자유의 풍경으로 눈을 떴을때의 설렘.

탈출하는 길 위에 열린 무한한 가능성,

앞으로 펼쳐질 새로운 이야기의 시작.

과감히 도전하며 뛰어나가는 모습은,

마치 태양 아래 펼쳐지는 무지개 같아.

포기하지 않는 의지와 용기로,

탈출의 문턱을 넘어 새로운 세계로.

멈추지 않는 발걸음과 함께,

자유로운 영혼으로 더욱 높이 날아갈 거야.

탈출하는 나의 모습은 노래가 되어,

바람과 함께 흘러가는 멜로디처럼.

바람의 나라에서 영감을 얻어,

탈출의 길을 향해 끝없이 달려갈 거야.

둔치에서 만난 꽃의 요정

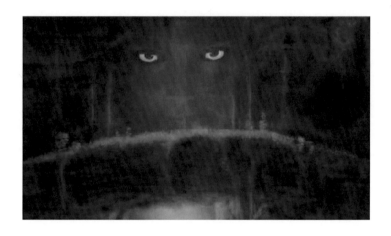

둔치의 작은 숲 속에서,

나는 아름다운 꽃의 요정을 만나네

그녀는 눈부신 빛을 발하는데,

나를 환하게 반겨 주었네

작은 꽃잎 하나하나가

마치 다른 세계의 문을 열어준 듯하고

요정의 손길을 만져본 순간,

내 마음에 환희의 노래가 울려 퍼지네

그녀의 눈은 청명한 하늘을 닮아서,

눈부신 별들이 그 속에 빛나는 것 같고

얼굴에 감춰진 미소가 향기로운 꽃의 향기를

바람에 실어 나르며 나의 마음을 사로잡네

둔치의 햇살이 그녀의 머리카락을 물들이며,

마치 황금빛 물결이 그녀를 감싸주었고

나무들이 그녀에게 경배하듯 숲 속에 목소리를

퍼붓고, 작은 동물들이 춤을 추며 환희가 흐르네

요정의 손에 담긴 꽃 하나가

마치 세상의 모든 아름다움을 담고 있었고

나는 그 순간 마음을 열고,

요정의 세계로 빠져 들어가네

둔치의 작은 숲 속에서,

만난 꽃의 요정과 함께

환상의 세계를 누비며 행복했고,

언제까지나 이 순간을 간직하며 살고싶네.

5차원문명

온화하고 키가 큰 환상적인 꽃들이 피어나는 곳,

색깔 눈이 부드럽게 내리고

추위도 더위도 없는 친절하고 우아한 지구.

여기는 무한동력이 흐르며

필요한 것들은 원소조합기에서 만들어지네

차원이 상승한 세계에서 살아가네

과학기술의 놀라운 진보로 빛나는 삶을 즐기네

반중력의 힘으로 자유롭게 떠돌며,

차원이동과 성간이동으로 우주를 누비며 모든 곳을 탐험해

지저문명과 지저세계인들이 공존하는 이 곳,

다양한 문화와 지식을 공유하며 협력하네

우아한 건물과 환상적인 조경이 이어진 도시에서,

마음은 평화로움과 혁신의 열정으로 가득하네

어둠의 밤에는 빛나는 별들이 우리를 둘러싸며,

은하수가 우리의 꿈을 이끌어주네

미지의 세계와의 만남은 항상 새로움으로 가득하며,

지구위에서 느낄 수 없는 경험과 감동을 만끽해

지저세계에서의 생활은 마치 차원을 넘어선 꿈,

한계 없는 가능성이 우리 앞에 펼쳐져 있네

미래의 미지를 열어나가며,

지저세계에서의 삶을 빛나는 시간으로 만들어가네

소나기

어둠속에 흐르는 눈물의 비,

하늘에서 흘러내린 그대의 아픈 기억이여,

비는 저마다의 슬픔을 노래하며 땅을 적셔가지만,

가끔은 서글픈 그리움으로 젖은 길 위에 멈춰설 때도 있다.

비 내리는 날, 나는 그대의 이름을 속삭이며

하늘과 땅 사이에 떠오르는 그리움의 언덕을 올라간다.

우산 아래 걷던 그 길, 두 손에 쥐어진 그 시간,

그 모든 것이 마치 비의 무게로 늘어져 있는 것만 같다.

소나기는 어둠 속에서도 빛나는, 그러나 그 빛이 슬픔에 젖어든다.

우리 마음의 소나기, 이제야 그 뜻을 알게 되었다.

비 오는 날, 그대와 함께 걷던 그 길,

작은 손길에 마음이 촉촉했던 그 순간들이

이젠 추억이 되어 눈물의 소나기가 되었다.

그 소나기에 스며든 사랑의 향기는

비 온 땅에 스며들어 꽃들을 피우고,

또 다른 봄을 기다리게 할 것이다.

소나기여, 그대의 향기로 가득 찬 이 비여,

나를 적시고 그대를 떠올리게 하는,

그리움의 노래로 가득한 소나기여

밤의 서정

방학을 맞아 젖은 바람이 스며든 날,

아리따운 소녀가 뒷집이모 집을 찾아왔어

하얀 피부에 반짝이는 별빛을 담아내듯,

수수한 눈동자에 어린 순수가 빛났어

우리는 수풀에 우거진 아름드리나무 밑에서,

밤의 달콤한 풍경에 마음을 맡겨 두었어

시냇물이 노래하며 흐르고, 별이 춤추는 밤,

우리의 대화는 별빛이 되어 흘러갔지

한 손에는 꽃잎, 한 손에는 별빛을 가득 담아,

서로의 꿈을 나누고, 서로의 마음을 나눈시간들.

그 소녀와 함께한 그 밤은 마치 시간의 망토,

흐르는 강물처럼 흘러갔지만 영원의 시간속에 갇혀있어

별이 쏟아지던 그 밤, 시냇물도 우리와 속삭였어

그 소녀와의 만남은 마치 노래처럼 아름다웠어

다음 날, 그녀는 떠나갔어

하지만 나는 아직 그 소녀의 향기를 느낄 수 있었어

방학마다 다시 찾아올까 기다리며

소녀와의 단 한번의 추억을 상상하며 살아갔어

하지만 그 소녀는 다시는 볼수 없었어

한 번의 만남과 영원한 애상

아름드리 수풀 나무 아래서 우리는 기약을 하지 않았지

하지만 그 때의 감성과 순간은 영원히 빛날 거야

그때의 단 한 순간, 단 한 번의 만남,

그것이 소녀와의 처음이자 마지막이었어

수마노탑

강원 높은 산 위에 펼쳐진 절,

정암사의 역사는 오래된 불멸의 길.

수마노탑이 빛나는 그 곳엔,

옛 전설과 함께 숨쉬는 시간이 있네.

천 년을 넘어서는 사찰의 영광,

불교의 빛나는 가르침이 흐르는 곳.

수마노탑은 구름을 뚫고 닿는 듯,

하늘의 높이에서 절경을 감상하리라.

전설에 의하면 옛날부터 이곳,

수마노탑의 꼭대기에 비치는 별빛.

불타오르는 석탑에 담긴 의미,

불심이 없는 중생들이 육안으로 볼 수 없도록 비장한

우주의 신비와 마음이 어우러져.

사찰은 시간을 초월한 곳이니,

과거와 현재, 미래가 어우러지네

불교의 가르침이 흐르는 곳에,

우리는 평화와 현명함을 찾아가리라.

정암사의 높은 봉우리 위에 서서,

수마노탑이 비추는 빛을 받으며.

우리는 고요한 마음으로 숨쉬고,

영원한 지혜와 평화를 바라보리라.

석씨네 대포집

산풍에 스며든 고요한 마을 상갈래,

탄광촌의 석씨네 대포집

낡은 벽돌로 쌓은 집들은 시간의 흔적,

사람들의 몽환과 애환이 숨겨진 곳이네.

달빛 아래 희미하게 비치는 밤의 빛,

대포집 창밖으로 스며드는 저 푸른 어둠.

애환과 몽환이 어우러지는 밤,

한숨소리와 함께 흘러가는 추억의 시간.

탄광촌에 흐르는 시간의 흐름,

마치 시대를 초월한 어느 한 편의 삶의 드라마

석탄이 새겨낸 인간의 힘과 고난,

그림자처럼 남겨진 정겨움과 애환이 느껴져.

눈부신 아침 햇살이 집안을 비추면,

석씨네 대포집의 과거와 현재가 어우러져.

고요한 상갈래의 마을을 수놓고 있네

낭만과 애환, 몽환의 감정이 흐르고 있네.

가래추자 따오던날

산으로 넘어선 상갈래마을의 풍경,

개구쟁이던 수열과 나, 일요일이면 만나.

가래추자 따러 나선 우리의 발걸음,

호두 비슷한 열매, 가득한 탄광촌의 향기.

가래추자 나무에 올라가 땀 흘리며,

높이 솜씨를 뽐내며 추자를 땄지.

나는 밑에서 힘껏 흔들어 주네

열매가 떨어질 때의 설레임, 그 떨림.

겉은 녹색에 안은 노란 가래추자,

가래추자를 따다 손 노랗게 물들면,

며칠동안 벗겨지지 않는 그 열매.

껍질을 까면 호두처럼 소중한 알맹이,

호박씨 같은 비밀이 마음을 설레게 하네.

넝쿨에 칡을 발견하면 그대로,

칡넝쿨을 헤집어 칡을 입으로 짜서 먹고.

들길을 따라 내려오다 탄차가 다가오면,

손을 흔들며 뛰어가 끼어타기 위해 내달려.

상갈래 마을의 그 추억이 아직도 살아,

가래추자를 따오던 날의 소중한 기억.

수열과 나, 그리고 자연과의 만남,

한 줄기 햇살이 노래하는 그 들놀이 잊지 않아.

똘이만화방

똘이네 만화방, 그 신비한 곳

만화책을 빌려보던 그 때 그시절

향수로 가득한 그 시절

만화방 문을 열면 들어가는 세계,

땅속 탐험 이야기부터 드라큐라 이야기까지.

신비로운 성의 마녀, 그녀에게서 도망치던 이야기,

시간 여행과 우주 탐험, 그 어떤 이야기든 펼쳐져.

만화책 한 권 한 권, 신비한 세계로 빠져들며,

요술 기계의 이야기 역시 마음을 사로잡아.

감동과 웃음, 모든 감정이 만화 속에서 번져,

땅을 헤집고 눈이 부신 우주를 여행하듯 시간을 보내.

배고픔마저 잊게 하는 그 속에서,

만화집 아주머니의 따뜻한 웃음과 배려.

라면 한 그릇으로도 고마움을 표현하며,

언제나 넉넉지 못한 시절의 친절함이 기억에 남아

꿈과 희망을 만화 속에 찾았던 어린 시절,

그 속에 모든 것이 함께 풍요롭게 녹아들어.

똘이네 만화방, 마음 속 깊이 간직한 이야기,

그리움으로 남아 때때로 회상하며 웃음짓네.

내마음의 풍금

봄날의 저 햇살에 비춰지는 골목길,

작은 상점 앞에서 울려퍼지는 소리.

그리움을 가득싣고

내 마음의 풍금이 울려 퍼지네.

한 손에는 작은 꽃다발, 한 손에는 풍금,

우리의 사랑이 음악처럼 피어나네.

함께 걸었던 그 모든 길이 눈앞에,

내 마음의 풍금이 흘러넘쳐.

비오는 날도 맑은 날도 아름다워,

우리의 사랑이 음악처럼 울리네

서로의 눈을 바라보며 느끼는 그 순간,

내 마음의 풍금이 조용히 울리네

팔공산 갓바위

황홀한 자연의 품에 우뚝 솟아,

팔공산 갓바위 영빈한 존재.

천년의 세월을 뒤로한 고요한 산정에,

영원한 미소를 간직한 성역.

마천루 같이 천창을 뚫고 비추는 태양,

그 온기로운 품안에서 비추어지는 그림자들의 무도한 놀이.

팔공산 갓바위여,

그 넓은 가슴으로 모든 삶을 안아주며,

우리에게 빛과 영감을 선사하며 무한한 자아를 물들이네

절벽의 높이가 우주의 무한함을 닮아,

하늘의 새들도 시름없이 춤추는 곳,

바위 위에 서면 얼마나 작고 소중한 우리의 존재가 느껴지는지.

팔공산 갓바위여,

당신은 견고함과 영험함의 상징

한 층 한 층 쌓아 올린 돌들로 이루어진 당신의 몸체,

그 하나하나가 지나온 세월의 기억을 간직하며 말없이 미소 짓네

바람이 스치는 소리마저 마치 당신의 노래가 되어 흐르며,

팔공산 갓바위여,

당신은 자연과 인간의 조화를 보여주는 예술

산길을 따라 오르면 느껴지는 고요한 정취,

고요 속에서 우리는 자연과 하나가 되며 숨쉬는 듯한 감동이 느껴져

팔공산 갓바위여,

우리는 당신을 통해 공덕을 배우고,

우리의 삶을 더욱 깊이 생각하게 되고

팔공산 갓바위여,

영원한 당신의 존재에 경탄하며,

우리는 이 땅에 감사함을 드리네.

높이 솟아 있는 당신의 모습은 우리에게 자유로움을 상기시키며,

갓바위의 장엄함을 세세토록 찬양하네.

폐허

고요한 폐허 속에 비친 시간의 흔적,

파괴와 재난이 남긴 그늘과 침묵.

옛 영광의 터에 서서 바람이 스치는 소리,

흔들리던 꿈과 희망의 흔적만이 남아있네.

한때 번영하던 건물과 거리,

이제는 모래와 잊혀진 이야기의 조각.

하지만 폐허 속에서도 피어나는 싹,

새로운 시작의 미소와 열정의 힘을 감지하리.

폐허의 그늘 속에서 다시 일어서,

지나간 아픔을 이겨내고 새로운 세계를 향해 나아가리.

폐허는 곧 새로운 재생의 시작,

역사와 용기가 깃들어 피어날 곳.

무너진 벽 사이로 비추는 햇살의 미소,

폐허 속에서도 봄은 오고

파괴된 기둥과 재 더미 위에 피어난 꽃,

인내와 희망이 빛을 발하는 순간.

폐허는 과거의 상처를 감싸안는 공간,

기억과 아픔이 어우러져 존재하네

하지만 그 속에서 새로운 역사가 시작되고,

평화로운 미래를 향한 발걸음이 울려 퍼져

폐허의 잔해 위에 세워진 우리의 다짐,

다시 일어서서 더 높이 날아오를 거야.

계속해서 전진하는 우리의 열정과 희망,

폐허가 되어도 우리는 결코 굴하지 않을 거야.

폐허 속에서도 우리는 새로운 세계를 꿈꾸며,

한 걸음씩 나아가며 평화로운 날들을 창조할거야.

고독한 나비

고독한 나비 날개짓 불안한 밤,

현대의 혼란 어디로 향해가는가?

도시의 번잡함 사이로 헤매이며,

눈부신 빛들이 나를 둘러싸네.

사람들의 시선은 차갑고 거리와,

커다란 도시 속에도 나는 외로워.

소통의 어려움, 갈증이 되어

불안한 마음을 품고 헤메이네.

무엇을 찾아 헤매는지 모르겠지만,

고독한 나비는 날개짓하며 꿈꾸네.

사람들의 무심한 시선 사이로

나비는 멀어져 가고, 언제나 혼자인 듯하네.

그럼에도 날개는 힘차게 펄럭이며,

소외와 고독에도 포기하지 않으리

고독한 나비야, 너의 날개는 예술이야.

혼자서 날개짓하는 네 모습은 아름답고 강인해

때로는 멀어져 보이지만, 네 안에는 빛과 희망이 있네

고독한 나비여,

네 날개로 자유를 찾아가리라.

가설극장

시골마을 나팔소리가 내 귀에 울려 퍼지네,

왁자지껄한 활기가 떠오르네.

옛 추억들이 마음 깊이 내게로 다가와.

가설극장의 향수가 내 맘을 감싸네,

영화상영 소리가 마치 하늘을 가득 채우는 듯,

웃음소리와 노래가 희망의 날개가 펼쳐질때

임시천막 속에서 흐르는 즐거움이,

우리 모두를 하나로 묶어주는 특별한 순간

마법처럼 시작되는 영화 속 세계,

그 안에서 환상의 여정을 떠나는 듯한 설레임

산등성이 떠오르는 달빛 어둠 속에서,

가설극장의 무대는 희망의 등불로 빛나네.

삐에로의 웃음, 배우의 눈빛,

연사의 목소리가 하나 되어 무대 위의 신비

작은 마을의 가설극장, 그 안에 담긴 꿈들,

우리에게 행복한 희망을 안겨주네

향수 속에서 가설극장의 신명나는 분위기

내 안에 아름다운 순간들이 살아 숨쉬는 듯하네

시골마을의 가설극장, 그 소중한 영상은,

우리 삶에 역동적으로 빛나고 있네.

막걸리 심부름

막걸리 양조장에 어린 날의 향기가 남아 있어요,

노란 양은 주전자를 안고 달려가던 그 때로 돌아가 보면,

배고픈 시절 어른들은 심부름을 시켰죠,

막걸리 한 대 가져다 달라고 말이에요.

노란 양은 주전자를 들고 아랫동네 양조장으로

달려가네요.

"아줌마 막걸리 한 대박 주세요."

주막 아주머니는 따뜻한 미소로 맞이해 주셨죠,

술독에서 바가지로 막걸리를 채워주네요.

내가 "외상이래요, " 라고 말하며

노란 막걸리 주전자를 들고 나는 또 달렸죠.

달리면서 쏟고 한모금씩 마시던 막걸리는

어느새 한주전자에서 많이 모잘랐어요.

벌써 수모금째, 비몽사몽한 순간들이 눈에 번져가요.

주전자가 가벼워지면서도 맛있게 마셨어요.

막걸리는 어머니의 손맛이 났어요,

밥 한 끼를 먹지 않은 배에 닿으면서 기분이 좋아져요.

비몽사몽이 되어 막걸리 주전자를 내밀면서

"막걸리 받아왔어요."라며 퉁명스럽게 내밀어요.

막걸리도 몰래 마시고 심부름값도 챙기네요.

어린 날의 추억은 노란 양은 막걸리 주전자와 함께 있어요,

노란 주전자와 함께한 그 시절이 소담한 향기로 남아요.

막걸리의 향기가 시간을 초월해 남아 있어요,

막걸리 심부름, 그 어린 날에 배고파 마시던 막걸리

참 달콤하네요.

치악산

마음 속에 피어난 전설의 빛,

치악산에 울린 그 아름다운 소리.

산풍에 춤추는 나뭇잎의 속삭임,

구름 위에 펼쳐진 자장가 같은 하늘.

악산, 그 이름은 전설,

봉우리마다 흐르는 시간의 흐름,

바위에 새겨진 고요한 목소리.

한 층 높이 솟아난 봉황의 날개,

하늘과 땅이 하나 되는 그 순간.

침묵 속에 흘러가는 세월의 노래,

치악산의 무궁한 아름다움을 담아내리.

그림같은 풍경에 물든 추억의 빛,

치악산의 영원한 아름다움을 간직하리.

이 곳에 내리는 저녁노을의 향기,

모든 이에게 전해지는 치악산의 노래.

강물처럼 흐르는 이 소중한 순간,

치악산의 전설은 영원히 이어지리

UFO 탑승기

은하수 빛으로 흐르는 밤,

유성처럼 빛나는 UFO에 올랐네.

시간과 공간을 넘나들며 우주를 눈여겨보니,

별들이 춤추는 무한한 공간이 펼쳐져 있었네.

빛나는 성운이 물들인 우주의 수면,

그 안에서 나는 미지의 세계를 발견했어.

차원이 교차하는 곳에서 만난 우주인들은,

속삭이며 텔레파시로 나를 맞이했지.

미래의 지구, 그 경치는 아찔한 황홀함으로 가득했어,

높은 마천루에 닿는 듯한 초고층 도시,

자연과 기술이 공존하는 신비로운 풍경,

그 어떤 상상조차 미치지 못할 미래의 모습.

인간과 로봇이 함께 노래하며 춤을 추는 거리,

마음을 따뜻하게 밝히는 미소와 인사.

지구의 미래는 희망으로 가득한 곳이었어,

환경을 아끼며 사는 모습이 눈부시게 아름다웠지.

시간의 흐름이 천천히 흘러가는 듯한 순간,

눈앞에 펼쳐진 미래의 묘한 아름다움.

UFO에서 내린 내 발걸음은 가볍고 자유로웠고,

유려한 은하수의 향연이 나를 감싸 안았네.

하지만 돌아가는 시간이 다가왔을 때,

가슴 한 켠이 아련함에 젖어들었지.

떠나던 UFO의 빛나는 문은 닫혔고,

미래의 아름다움은 영원히 남아있구나!

동굴탐험

산밑 깊은 곳에 숨겨진 동굴로 들어섰네,

눈앞에는 어둠이 흐르는 신비한 길이 펼쳐져 있었지.

들어서면서 느껴지던 물소리를 들었어

그곳엔 강처럼 흐르는 깊은 감동이 엿보였지.

동굴 입구에서 그 깊이를 느꼈어,

그 어딘가 깊이 간직한 희미한 빛의 숨결.

오랜 창백한 시간이 흐르는 듯한 조용한 날,

나 혼자 그 길을 따라 들어 갔었지.

어둠이 나를 감싸던 동굴 내부,

그리고 묘한 기운이 내 마음을 자극했어.

깊이 들어가면서 숨이 차게 설레던 순간,

눈부신 빛으로 동굴이 가득 차올랐지.

거기엔 나무와 식물, 그 어느 곳에서도 본 적 없던 자연,

그리고 각양각색의 생명이 존재하며 춤을 추고 있었어.

신비한 세계가 동굴 안에서 펼쳐져 있었지,

지금까지의 나의 세상을 넘어 새로운 세계가 보이던 곳.

하지만 두려움이 날 괴롭히던 순간,

돌아가는 길을 찾아 엉금엉금 기어 나왔어.

동굴 입구로 가면서 어둠이 나를 감싸면서 두려워져

나는 그 신비로운 경험을 마음에 간직하고 있어.

동굴 속 신비로운 여정은 두려움으로 끝났지만,

마음 속에는 그 신비함이 늘 남아있어.

그곳에서 느낀 신비스러운 순간을 간직하며,

새로운 세계의 문을 열어 나아가려 할 테니.

붉은 오미자

산이 준 풍성한 열매 오미자,

노화를 예방하고 기운을 되찾게 하는 보석 같은 한약재.

오미자 따러 가는 날을 기다려

산을 오르며 붉게 물든 그 열매를 손에 쥐었어.

따온 오미자를 지붕 선반에 널어놓고 말렸어

햇빛에 촉촉한 열매가 건조하게 변해갔어.

시장 한약방에서는 값어치 있는 보물로 소문났어.

일주일이 지나도록 열심히 거둬 말렸지.

오미자가 건조되며 점점 작아진 모습,

그러나 그 속에 빛나는 기운이 넘쳐나더니

발걸음은 시장으로 향하였지,

한약방을 찾아가 활기차게 흥정을 벌였어.

금전을 넉넉히 받아 손에 쥐게 된 열매,

노고와 시간이 그럴 가치가 있었어.

한약방에서 나온 후, 우리의 발걸음은 가벼워져,

운동화도 사며 걷는 즐거움과 맛있는 음식의 향기에 취했어.

붉은 오미자의 빛나는 열매와 열정이 어우러진 순간.

그 날의 기억은 마음속에 오래 오래 남아,

풍요롭고 활기찬 날들을 찬란하게 빛나게 하네.

탄광촌 어린 여자애의 꿈

산마루 위에 펼쳐진 탄광촌,

검은 석탄으로 덮인 천지의 풍경.

까맣게 번져가는 길과 비에 물든 진흙,

어린 발에 묻힌 검은 석탄가루의 흔적.

그 길목 놀이터에 어린아이들,

새까매도 눈동자에는 초롱초롱한 빛이 빛나.

그네를 타는 소녀의 웃음 소리,

무심한 순간에 꿈과 희망이 피어나는 순간

내가 물었어.

"넌 커서 꿈이 뭐니"

언덕 위에 사는 그네 타는 여자아이가 대답했어.

"술집여자"라며 대답했던 어린 소녀,

하얀 얼굴과 예쁜 옷에 가려진 꿈.

그 소녀가 속삭이는 이유를 알 수 없어,

왜 술집여자가 되려 했는지 알 수 없어.

그래도 그 여자아이 눈에 비친 화사한 모습,

꿈의 조각이 어둠에 빛을 비추듯

시커먼 곳의 탄광촌에서 태어나,

하얀 것에 끌려 자신의 꿈을 묻어둔 소녀.

어쩌면 미처 알지 못했던 세상의 다양함,

한없이 큰 꿈을 안고 살아가는 모습.

탄광촌 어린 여자아이의 꿈은 술집여자,

그 소녀가 눈부신 화사함을 만끽하며.

이젠 내 눈에도 그 꿈이 아름답게 번져,

그 소녀의 꿈이 향기로운 꽃처럼 피어날거야

낭만 버스안내양

낭만 버스안내양, 행운을 안고 서있네,

상냥한 미소가 빛나는 버스 안의 천사.

아침 해가 떠오르는 시간, 그녀의 안내가 시작돼,

길을 잃은 이들에게 미소로 안내해.

첫 번째 정류장, 오라이!

사람들이 서둘러 오르고 내릴 때,

그녀의 눈에는 각자의 이야기와 꿈이 비치네.

시내의 번잡함 속에서도 그녀의 목소리는 분명하게,

다음 정류장을 알려주며 승객들을 이끌어.

유난히 더운 여름날, 선풍기 소리와 함께,

시원함을 전해주는 그녀의 모습이 더욱 빛을 발해.

비 내리는 날도, 눈 내리는 날도,

언제나 함께하는 그녀의 목소리는 따스하고 감미로워

옆 자리에서 만난 이들과 유대감을 나누며,

힘든 가운데 웃고 얘기하며 지루함을 잊게 해주네.

낭만 버스안내양, 버스 안에서 일어나는 일들의 주인공,

친절한 안내와 따스한 미소로

어쩌면 두 사람의 눈이 마주쳤을 때,

서로의 마음이 흔들리며 소망의 시작을 예고하며

한 마디의 인사로 시작된 대화가,

인연의 실을 꼬아가네.

고요한 밤, 어둠 속에서도 그녀의 불빛은 희망이 되어,

길을 잃은 이들에게 안내봉사자가 되어주네.

낭만 버스안내양, 그녀가 있는 그 자리,

일상의 작은 기적과 행운을 안겨주는 곳.

버스 안에서 일어나는 모든 순간을 품고,

그녀의 미소는 빛나며 계속해서

영원의 시간속에서 우리 곁에 머물러 있네

사랑방손님

소문이 퍼진다, 사랑채에 손님이

넉넉하지 않은 살림에 와 머물고 계셨다는 것을.

어머니의 마음이 따뜻하게 열려, 하숙을 청한 이 손님은,

먼 곳에서 온 그림자 같은 사람, 사랑방손님

외지의 바람을 안고 온 그 손님은,

교양과 배움을 가득 안은 신사로서,

우리 마을에 나타났네

나와 필희는 방과후, 숙제를 들고,

사랑방에 들어가고 있네

숙제의 책장이 넘어가고, 대화의 파도가 일렁이며,

사랑방손님의 지혜로, 어려운 문제마저 해결하고

글쓰기의 미를 아는 손님은,

우리에게 그림과 같은 이야기를 펼쳐주었네

사랑방손님 그 너그러움에 우리는 감격했지

우리는 그저 친절한 미소와 따뜻한 마음에 푹 빠져 있었어.

시간은 흘러가도

우리는 사랑방손님의 문을 두드리며,

재롱을 떨고, 세상의 미소를 배우고 있었구나

배고플 때면 사랑방 손님은

빵과 건빵을 나눠 주었지

먹거리가 귀한 시절이였네,

사랑과 배움이 가득한 시간을 함께 했구나

산골 마을의 작은 사랑채에 묶고 계신,

그 조건 없이도 가장 좋은 사람,

사랑방손님의 따뜻함이 동네의 분위기를 밝게 했어.

필희와 나, 그 모든 순간을 기억해

하지만 시간은 흐르고, 사랑방손님은 떠나갔지

그 떠난 흔적 조차 훈훈하구나

세상을 마주하는 우리의 눈은 더욱 밝아져,

그 빛을 사랑방손님의 이름에 묻어 두었네.

망태 아저씨

낡고 흐릿한 기억의 조각들 속에

망태아저씨가 서있네요.

지금은 멀어진 시간의 흐름에 흘러

향기로운 추억으로 다가와요.

지저분한 작업복에 망태를 맨

그의 모습은 중년의 나이지만,

학교길에 신작로와 동네어귀,

놀이터에서 집게를 들고

망태에 연실 담아요.

망태아저씨의 어깨 위에 맨

망태 하나하나가 어딘가 삶의 고단함을 간직하며

그의 발걸음은 시간을 따라 흘러

애수를 닮아 세월의 흐름을 따라가네요.

어린 소년의 눈에선 약간의 무섭기도 했던

망태아저씨의 모습이 지금은 그리움으로 다가와

추억의 조각들이 흩어져 재구성되듯이

망태를 진 아저씨들이 왔다갔다 하네요.

멀어져 가던 기억의 끝에 서서

망태아저씨가 나에게 다가와

살며시 흔들리며.

구수한 익살을 풀어 놓고 가네요.

우물가 버들강아지

우물가의 고요한 풍경 속에

버드나무 하나가 높게 솟아있네.

그윽한 풍류를 자아내며

버들잎에서 돋은 버들강아지

우물가 옆 버드나무 곁에서

시간은 천천히 흘러가고 있어.

일직선이 아닌 곡선의 성장은

자연의 그윽한 은총을 보여주고 있네.

그 목가적인 기울기에

나무를 오르내리면서 개구쟁이들은 놀았네.

가지 하나하나를 깍아서

버들 피리를 불고 노래를 불렀어.

매미와 뻐꾸기의 노래와 함께

봄바람 속에 피어나는 버들강아지.

약간의 초록 빛이 서린 푸르스름함은

우리 마음 속에 피어난 동심

계단처럼 기울어져 올라가 앉아 노는 날,

우물이 흐르는 개울 소리와 함께.

버들가지는 마치 우물소리와 어우러지며

한 몸으로 노래하네.

계절마다 새로운 생명을 품어

버들강아지는 변치 않는 아름다움을 지켰지.

그러나 물이 너무 많이 흐르자

나무 밑둥치 기둥은 서서히 시들어가고,

어느 날, 많은 아이들의 발길이 닿았을 때

밑둥치에 시든 시간의 흔적이 엿보였고

나무가 내려 앉으며

버드나무는 조용히 무릎을 꿇었어

우물가의 버드나무와 샘의 노래는

하나의 조화로움을 이루었고,

그 고풍적 멋과 낭만이 아이들 마음 속에 남아

아련한 아쉬움과 함께 묻혀 버렸네.

가난한날의 식탁

지금은 부자의 자리에 섰지만,

한때 가난한 날들을 견뎠습니다.

아내와 함께 한계를 다해 힘든 시간을 보냈지만,

불행히도 형편은 쉽게 좋아지지 않았습니다.

발품을 팔아 아이에게 과자 한 봉지를 사려고 했던 때,

아픈데 병원을 가지 못하는 아이를 보며 눈물을 삼키며 살았습니다.

모든 것을 최소한으로 아끼며 살았지만,

우리도 어려움을 마주한 날들이 있었습니다.

지금의 풍요롭고 편안한 식탁 앞에선

예전의 그 어려움은 저편이 그림자가 되었습니다.

식료품이나 생필품이 넘쳐나도

이제는 그런 날들을 이기적으로 잊어버립니다.

노력은 어떻게 해도 성과를 내지 못했던 때,

한탄하며 체념하는 날들을 겪기도 했습니다.

인생의 무게에 질린 마음으로

이젠 어떤 희망도 품지 않았던 그 때를 기억합니다.

수염이 덥수룩하게 자라고 생각없이

길을 걸으며 또 하루를 보내고 있을 때,

길가에서 눈에 띄게 떨어진 무언가를 발견했습니다.

그것은 식료품을 사는 데 쓸 수 있는 작은 상품권이었습니다.

너덜너덜 했지만 유효기한이 남아있었습니다.

아무생각도 하지 않고 상품권을 이용해 라면과 생필품을 사러

가게로 향하며, 앞으로 가야 할 길들이 힘들지만

그런 것들은 아무런 의미가 없었습니다.

천천히 한 시간 넘게 걸어서 도착한 가게에서,

모든 것을 사봤습니다.

상품권에 쓰여진 만큼의 물건을 모두 가져오고

약간의 거스름돈까지 받았습니다.

어차피 시간이 얼마남지 않아 시간이 지나면

사용할수 없게 되기 때문입니다.

그 식료품들을 들고 돌아와서,

찬과 밥을 정성스레 준비했습니다.

길고 힘든 날의 저녁시간

우리 가족이 함께 모여 한상을 나누었습니다.

그렇게 허름한 초가집에 둘러앉아

사온 식료품으로 만든 요리는 풍성했습니다.

삶의 어려움을 함께 나누며 먹던 그 시간은

마치 풍요로운 연회 같았습니다.

아이는 말했습니다.

"아빠 오늘 무슨 날이야"

"와! 임금님 밥상같아"

나는 아이에게 말했어요.

"임금님도 우리보다 더 잘 먹지 않아."

"세상에서 우리가 가장 부자다."

하지만 그 풍요로움은 오래 가지 않았습니다.

몇 날이 지나니 생필품들은 다시 바닥을 찔렀습니다.

하지만 그런 시련 또한 우리의 삶에 큰 발판이 되었습니다.

가난한날의 식탁은 우리에게

어려움을 이겨내며 살아가는 강한 의지와,

가치 있고 서로를 더욱 소중히 여기며 묶어주었습니다.

한때의 부족함을 이기고 그때를 잊지 않으렵니다.

갈래문화관에서

옛 시골 영화관 갈래문화관,

추억 속에 묻혔던 그 해바라기 밭.

70년대 낭만, 어린 날의 꿈이 깃든 곳,

눈부신 황금빛 향기, 그리움의 발자욱.

창가에 앉아 별빛이 스치는 밤,

소리 없는 터치로 펼쳐지는 황홀한 드라마.

무지개처럼 펼쳐지던 환상의 세계,

그림자 속으로 흘러내린 나날들의 자욱한 영상.

스크린 위엔 영웅과 여신, 모험과 로망.

청춘의 설렘, 첫사랑의 달콤함,

흐린 기억 사이로 스며든 영상,

어린 날의 나를 찾아 헤매는 시간.

아무 걱정 없던 순수한 순간들,

내 마음의 고향, 영원히 빛나는 기억의 진주.

언제나 내 마음 속에 간직하고 싶은 보물.

갈래문화관, 그 속에 남긴 나만의 비밀,

갈래문화관의 문을 열고 들어가면.

서정과 낭만이 흐르는 나만의 공간,

몰래 숨어 그녀의 향기를 만나고,

그리움을 안아줄 러브스토리

깊은밤 산속 유희

수열이와 나 그리고 아이들

언덕 뒤로 난 바위산 울창한 낙엽송밭으로 가자!

낙엽송 군락 푸르게 피어난 언덕에서

우리의 발소리는 흥겨운 노래가 되고

놀이의 날, 해가 저물어도

낙엽들은 울창함을 유지하네.

높이 솟은 바위산 위에서

우리의 웃음소리가 메아리치네

산속에서 아이들이 들려주는 이야기

놀이를 준비한 작은 손길들

냄비와 촛불, 모닥불의 빛이

어둠을 밝게 비추고 있어

언덕 바위산 주변엔 많은 묘지

산에서 만든 요리의 맛으로

밤을 밝히며 이야기 보따리를 풀어가네

함께 나누는 이야기와 웃음

흥겨운 노래와 맛있는 음식

낙엽들이 우리를 기다리는 곳

산속에서 만든 소중한 추억들

언제나 내 마음속에 간직하리

이윽고 누군가 '좀 무서워'라는 말

우리도 한참 흥겨움에 놀다가

잠시 주변을 두리번 두리번

어두컴컴한 적막히 흐르고 오싹해지는 느낌

이때 누군가 '귀신이닷' 이렇게 외쳤네.

아이들이 좁은길 산 아래로

막뛰어 쏜살같이 달려가네

그날 밤, 어두운 깊은 산속에서

무서움이 우리를 스쳐 지나가도

함께한 용기와 희망의 빛으로

우리는 마을까지 함께 달려왔네

깊은밤 산속의 유희, 아직도 느껴지는

그 신비한 순간들이 내 마음을 감도네

낙엽 송이 노래하고 아이들의 손길이 남은 곳

우리의 낭만은 산속에 묻혀있네

간장장수 이야기

시골마을 오래된 길목에 서서

간장 향기 풍기며 오는 그대

간장장수의 간장봇짐 수레 소리에

아낙들과 아이들이 모여들어

간장장수의 수레는 풍경과 어우러져

마을 곳곳에 울려 퍼지는 나팔소리처럼

갈색 빛 바랜 기억들로 아롱져

긴 언덕길을 돌아오는 듯한 향수

언제나 웃는 미소와 함께

마을 사람들의 이야기를 들어주던

간장장수 아저씨의 인심좋은 얼굴이

갈색 수채화처럼 새겨지네

그날은 동네잔치날이였네

간장장수도 한병씩 간장을 마을에 팔고

동동주 사발을 벌컥벌컥 들이마시고

지친 발걸음을 쉬어가네

지친발걸음은 다시 두문동을 향해

간장장수를 기다리는

마을사람들을 향해

간장통을 어깨에 다시 동여메고

힘든 발걸음으로 거칠고 가파른 두문동길을 오르네

가마솥에서 끓이던 간장 냄새

나무마루 위로 퍼져 나가던 향기

아침 해가 떠오르기 전

아직 어두운 거리에 그림자 내리는

냉동고 속에 간장병 하나

아직도 그 향기가 느껴질 때면

간장장수의 인심좋은 모습이

내 마음에 떠오르는 무채색 향수

웅변대회

웅변대회 무대 위 전교생의 눈동자에

천명이 운집한 열정이 불타오르네

초등학교 운동장에서 펼쳐지는 이 순간

미소와 긴장이 공존하는 공간

각 학년의 연사가 번갈아가며

감동의 단어를 펼치는 그 순간

4학년 연사가 무대에 오르면서

영광의 순간이 펼쳐지네

마이크로 전해지는 목소리로

나의 작문이 선명하게 울려 퍼져

글짓기 대회에서의 영광이

웅변의 무대에서 빛나고 있어

글의 힘과 연사의 고동이 어우러져

마음속 깊이 울리는 감동의 전율

한올한올 외치는 연사의 목소리

내 안의 감정을 흔들어놓네

작문 대회에서의 대상을 한 나의 작품

웅변의 무대에서 빛나는 순간

부끄럼과 설렘, 감격의 감정이

한데 얽히며 나를 감싸네

그 작품이 담았던 부모님의 노고와 사랑

탄광에서의 힘들고 고된 날들

그 속에서 나온 나의 작은 소망

웅변을 통해 다시 떠오르는 순간

길을 잃었던 꿈을 찾아서

다시 한번 더 도약할 순간이야

초등전학년 1등을 한 나의 작품 이야기가

나를 다시 꿈의 길로 이끌어줄 거야

꿈속의 고향

동대구역에서 첫 발걸음

경부선을 풍미로 가득한 열차에 타고.

의성, 안동, 영주를 지나 여행의 시작을 알렸죠,

창가로 흘러드는 풍경이 꿈과 현실을 맞닿게 하고

칙칙 폭폭 기차가 가네

태백선으로 갈아타 석포로 향하며,

철길 위의 여정이 내 마음을 설레게 하네

석포, 철암, 문곡을 빠르게 지나

태백으로 향하는 열차는 미지의 세계를 품고 있구나

화창한 날씨에 황지를 지나 태백에 도착,

태백의 거대한 산들이 높이 손을 뻗어 기다려

그 뒤로 추전역 그리고 가장 긴 터널을 빠져

고한의 장엄한 역사가 나타나네

탄광촌의 작은 역,

어린 날의 추억이 잠시 떠오르네

고한역에서 내려 땅바닥을 밟았을 때,

고요한 마을의 공기와 향기가 산뜻하게 올라오네

방학 때면 늘 다녀왔던 곳

지금은 하이원스키장이 들어서 있는 곳

가까운 시간에 내 마음은 고향으로 닿아

빛바랜 옛터 상갈래로 걸어가는 길,

십리를 올라가는 동안 소리없는 시간이 흐르고

고요한 자연과 옛 추억과 현대적 풍경이 어우러져

고풍한 옛 마을은 퇴색 되었지만

멋스러운 운치는 여전하구나

그 길은 마치 시간을 거슬러 올라가는 것처럼,

어린 시절의 나를 다시 만난 것 같았어요.

고한역에서 상갈래까지의 이 여정,

내 안에 새롭게 각인된 꿈속의 고향

훈련소의 첫날밤

대기소 생활을 끝낸 후

억쑤같은 장대비가 쏟아지네

우리는 행군대열로 군가를 부르며 훈련소에 투입 되었네

비온 뒤 처음으로 밟는 훈련소의 땅.

억수 같은 비가 내리던 날,

불호령의 소리,

이 모든 게 낯설고 생소한 시작의 한 장면.

빗줄기 속에 긴장한 나의 몸과 목이 부은 고통,

그 속에 투입된 야간 경계근무.

기간병과 조를 맞춰 판쵸우의로 감싼 채,

적막한 참호에 투입되고 주변에 또 다른 역경

그러나 그 속에서 들려오는 작은 한줄기 소리,

풀벌레의 울림, 마음을 어루만지는 친구.

낯선 곳에서의 유일한 위로와 힘이었어,

풀벌레와 함께한 그 순간, 풀벌레마저 애처럽고

아픈 몸에 위로가 되었어.

목이 너무 많이 부었지만 참고 참으며 그 첫날밤 후에,

교관들의 날카로운 외침이 또 다가왔을 때.

또 다른 나를 위한 숙명이란걸 느꼈어

불호령이 떨어지는 순간마다

우리는 기계처럼 재빨리 움직였지.

동작이 느리거나 눈치가 없는 동료들은

연실 얼차려나 군화발이 날아왔지.

그렇게 시작한 훈련소의 시작.

힘들었던 첫날 밤, 어둠 속의 빛을 믿으며,

앞으로의 여정에 굳은 마음을 다시 굳혔어

정신없이 구르고 또 다시

어둠이 깊어가는 훈련소의 밤,

별빛조차 눈에 비치지 않는 어둠.

잠들지 못한 시간들이 흐르고,

한없이 긴 시간이 흘러가네.

피로한 몸을 이끌고 떠나온 곳,

불호령에 정신이 번쩍번쩍 나면서

이곳에서 살아 나가야 한다는 일념

'악착같이 훈련받아 정병은 내가'

구호를 외치며

이곳에서 훈련과 배움의 열정으로

또 하나의 나를 발견하는 순간들.

저자 약력

* 심리상담학전공
* 시인작가
* 최면세션 심리치료
* 고전풍금 및 아코디언 연주가

저서
* 마차집 일기
* 건강이 재물이다
* 인연 창작시집
* 직관 필 사주명리
* 써먹는 타로카드
* 타로실전리딩 사례집
* 타로 손자병법
* 옥소리 아코디언교본
* 사주한자독파교본
* 루시드 해몽법외 다수

* 작가연락처
  @ cyberm91@naver.com
  blog http://blog.naver.com/cyberm91
  https://tarounse8.modoo.at/

인연

지은이 | 박광열

펴낸이 | 한건희

펴낸곳 | 주식회사 부크크

발행|2024년 1월 8일

출판사등록 | 2014.07.15.(제2014-16호)

주   소 | 서울특별시 금천구 가산디지털1로 119 SK트윈타워 A동 305호

전   화 | 1670-8316

이메일 | info@bookk.co.kr

isbn|979-11-410-6460-0